AS CIDADES BRASILEIRAS
E O PATRIMÔNIO CULTURAL
DA HUMANIDADE

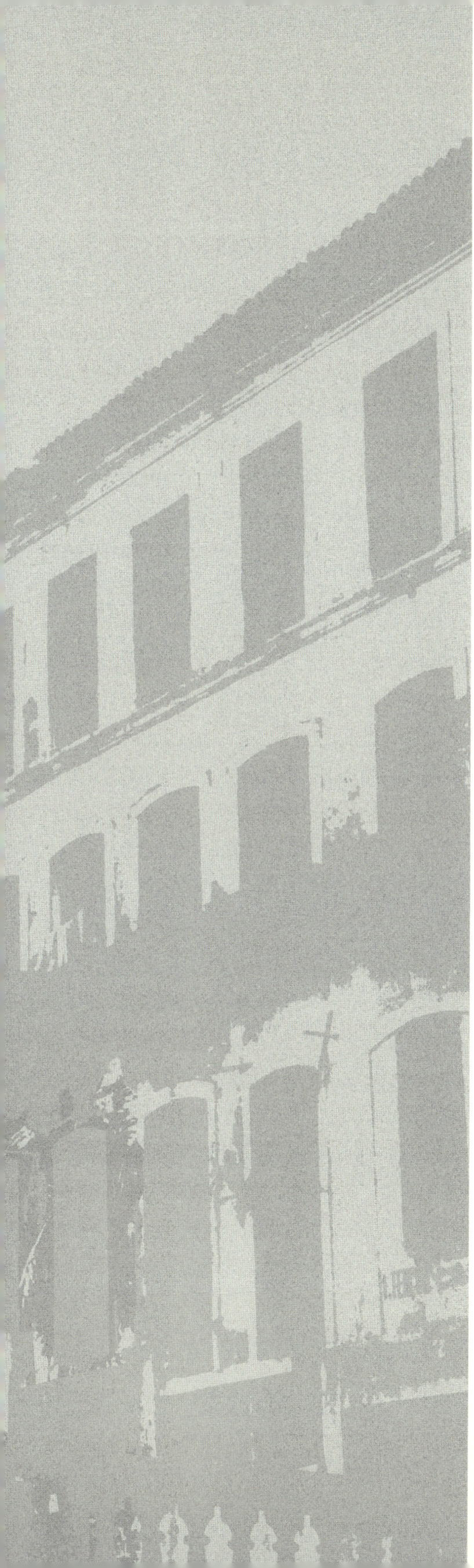

FERNANDO FERNANDES DA SILVA

AS CIDADES BRASILEIRAS E O PATRIMÔNIO CULTURAL DA HUMANIDADE

Copyright© 2003 by Fernando Fernandes da Silva

	EDITORA PEIRÓPOLIS
Editora responsável	Renata Farhat Borges
Coordenação editorial	Carla Arbex
	Lilian Scutti
Revisão	Izabel Moraes Baio
	Diogo Kaupatez
	Mineo Takatama
Projeto gráfico e capa	João Bosco Mourão
Imagens	Agência Estado (Salvador, Ouro Preto, Olinda, Brasília, Cidade de Goiás e Congonhas) e do autor (São Luís)

USP UNIVERSIDADE DE SÃO PAULO

Reitor	João Grandino Rodas
Vice-reitor	Hélio Nogueira da Cruz

ed^usp EDITORA DA UNIVERSIDADE DE SÃO PAULO

Diretor-presidente	Plinio Martins Filho
	COMISSÃO EDITORIAL
Presidente	Rubens Ricupero
Vice-presidente	Carlos Alberto Barbosa Dantas
	Antonio Penteado Mendonça
	Chester Luiz Galvão Cesar
	Ivan Gilberto Sandoval Falleiros
	Mary Macedo de Camargo Neves Lafer
	Sedi Hirano
Editora-assistente	Carla Fernanda Fontana
Diretora Editorial	Cristiane Silvestrin

Dados Internacionais de Catalogação na Publicação (CIP)
(Câmara Brasileira do Livro, SP, Brasil)

Silva, Fernando Fernandes da
 As cidades brasileiras e o patrimônio cultural da humanidade / Fernando Fernandes da Silva. – 2. ed. – São Paulo: Peirópolis: Editora da Universidade de São Paulo, 2012.

 ISBN 978-85-7596-248-0 (Editora Peirópolis)
 ISBN 978-85-314-0769-7 (Edusp)

 Bibliografia.
 1. Cidades - Brasil 2. Patrimônio cultural - Proteção - Brasil 3. Patrimônio cultural - Proteção (Direito internacional) 4. Patrimônios da Humanidade - Brasil 5. Preservação histórica - Brasil I. Baptista, Luiz Olavo. II. Título.

11-13345 CDU-341.22(81)

Índices para catálogo sistemático:
1. Brasil : Cidades históricas : Patrimônios culturais da humanidade :
Direito internacional 341.22(81)

1ª edição, 1ª impressão, 2003 | 2ª edição, 1ª impressão, 2012

Dedico este livro a minha filha Walquiria.

A minha Cláudia.

A minha mãe, Therezinha Vicente.

A Luiza, sempre dedicada à Walquiria.

*Aos amigos de longa data,
João Carlos Teixeira Canal e Jorge G. Ferreira Camargo.*

*Aos professores orientadores Guido Fernando
Silva Soares e Luiz Olavo Baptista,
ao Departamento de Direito Internacional da USP,
ao ICOMOS (Brasil), à Unesco, ao Iphan
e à Comissão do Patrimônio Cultural da USP.*

APRESENTAÇÃO

Há uma crescente tendência internacional de valorização do patrimônio cultural, tanto em nível nacional como mundial. Desde 1972, com a assinatura da Convenção do Patrimônio Mundial, mais e mais bens que são referências para a identidade de nações do mundo estão sendo declarados patrimônio de todos os povos. Com isso, conforma-se um patrimônio mundial comum, partilhado e apreciado por todos.

O Brasil, fruto que é da miscigenação de muitos povos, tem posição privilegiada na Lista do Patrimônio Mundial, com várias localidades reconhecidas como testemunho concreto do intercâmbio de culturas e tipos humanos, partindo das cidades mineiras de Ouro Preto, Diamantina e Congonhas para, passando pelas nordestinas Olinda, Salvador, São Luiz e São Cristóvão, chegar ao centro-oeste histórico da cidade de Goiás e ao coração modernista de Brasília.

Fruto de um elaborado estudo que resultou em sua titulação de Mestre em Direito Internacional na também histórica e tombada Faculdade de Direito do Largo São Francisco, o livro de Fernando Fernandes da Silva, profundo conhecedor e apaixonado pela Cultura, chega, não sem surpresa, à sua segunda edição.

Revisada e ampliada, é, sem dúvida, uma obra importante para aqueles que, apreciadores da Cultura, veem no patrimônio mundial uma oportunidade de reflexão sobre os laços que unem as nações do mundo, em tempos tão conturbados por diferenças.

Eduardo Szazi

SUMÁRIO

Lista de siglas e abreviaturas — 14

APRESENTAÇÃO 1ª EDIÇÃO — 15

PREFÁCIO 1ª EDIÇÃO — 17

INTRODUÇÃO — 25

CAPÍTULO 1
O patrimônio cultural da humanidade
como tema de direito internacional público — 33
   Interesses comuns da humanidade
   e patrimônio comum da humanidade — 36
   Humanidade — 38
   A classificação de Alexandre Charles Kiss:
   patrimônio comum da humanidade "por natureza"
   e patrimônio comum da humanidade "por afetação" — 40
      Patrimônio comum da humanidade "por natureza" — 40
      Patrimônio comum da humanidade "por afetação" — 42
   Unidade de fundamento: interesses comuns da humanidade — 43
   A concepção do patrimônio cultural da humanidade — 45

CAPÍTULO 2
Evolução da proteção internacional dos bens culturais imóveis — 49
   Direito internacional interestatal — 51
      As convenções de Haia de 1899 e 1907 — 51
      A Convenção de Genebra de 1949 e
      os Protocolos Adicionais I e II de 1977 — 53
   Organizações não governamentais — 54
      Carta de Atenas (1933) — 54
      Carta de Veneza (1964) — 55
   Direito das organizações internacionais — 56
      A União Pan-Americana — 56
         Tratado para a Proteção das Instituições Científicas e
         Artísticas e Monumentos Históricos, ou Pacto Roerich (1935) — 57
   Organização das Nações Unidas para
   a Educação, a Ciência e a Cultura (Unesco) — 58

A Unesco e a proteção dos bens culturais 59
- As convenções 60
- As recomendações 63
- As campanhas internacionais promovidas pela Unesco 67
- Os trabalhos preparatórios da Convenção
  Relativa à Proteção do Patrimônio Mundial,
  Cultural e Natural, de 1972 72

CAPÍTULO 3
As instituições da convenção que prestam assistência internacional no campo dos bens culturais 77

Comitê Intergovernamental da Proteção do Patrimônio Mundial,
Cultural e Natural, ou Comitê do Patrimônio Mundial 80
Conselho Internacional de Monumentos
e Lugares de Interesse Artístico e Histórico (ICOMOS) 81
Centro Internacional de Estudos para a Conservação e
Restauração dos Bens Culturais (ICCROM), ou Centro de Roma 83
Fundo para a Proteção do Patrimônio Mundial, Cultural
e Natural, ou Fundo do Patrimônio Mundial 84

CAPÍTULO 4
Os bens culturais protegidos pela Convenção Relativa à Proteção do Patrimônio Mundial, Cultural e Natural, de 1972 87

Os elementos característicos
do patrimônio cultural 90
  Os monumentos 90
  Os conjuntos 90
    Cidades mortas 91
    Cidades históricas vivas 91
    Cidades novas do século XX 92
  Os lugares notáveis 92
  Os sítios arqueológicos 93
  As cidades e os monumentos 93
Lista do Patrimônio Mundial 94
  Regime jurídico do bem cultural inscrito
  na Lista do Patrimônio Mundial 95
  Os critérios para inscrição de um bem
  cultural na Lista do Patrimônio Mundial 96

Valor universal excepcional e representatividade e seletividade	97
Os critérios "autenticidade" e "integridade"	98
A proteção nacional do bem	100
Inventário dos bens culturais: lista indicativa	101
A legitimidade para propor a inscrição de um bem cultural na Lista do Patrimônio Mundial	101
A inscrição da "cidade velha de Jerusalém e suas muralhas" na Lista do Patrimônio Mundial	102
O procedimento de inscrição de um bem cultural na Lista do Patrimônio Mundial	104
Os exemplos de Ouro Preto (MG), Olinda (PE), Salvador (BA), Congonhas (MG), Brasília (DF), São Luís (MA), Diamantina (MG), Cidade de Goiás (GO) e São Cristóvão (SE)	105
Conjunto arquitetônico e urbanístico de Ouro Preto (MG) (C 124), 1980	105
Centro histórico de Olinda (PE) (C 189), 1982	106
Centro histórico de Salvador (BA) (C 309), 1985	107
Santuário de Bom Jesus de Matozinhos, Congonhas (MG) (C 334), 1985	108
Conjunto urbanístico de Brasília (DF) (C 445), 1987	110
Centro histórico de São Luís (MA) (C 821), 1997	112
Centro histórico de Diamantina (MG) (C 890), 1999	112
Centro histórico da Cidade de Goiás (GO) (C 993), 2001	113
Praça de São Francisco na Cidade de São Cristóvão (SE) (C 1272), 2010	114
A inscrição de um bem cultural na Lista do Patrimônio Mundial em Perigo	115
Procedimento para inscrição de um bem cultural na Lista do Patrimônio Mundial em Perigo	117
A sanção: exclusão do bem cultural da Lista do Patrimônio Mundial	118

CAPÍTULO 5
A Convenção Relativa à Proteção do Patrimônio Mundial, Cultural e Natural, de 1972, e a proteção nacional dos bens culturais: o exemplo do Brasil — 121

As constituições brasileiras e a proteção
dos bens culturais imóveis   124
   A Constituição de 1988   125
   O tombamento   126
   O objeto do tombamento   129
Espécies de tombamento   130
   Quanto ao procedimento: tombamento
de ofício, voluntário e compulsório   130
   Quanto à eficácia: definitivo e provisório   131
Os efeitos jurídicos produzidos
sobre o bem tombado   132
   Restrição à alienabilidade   132
   Restrição à vizinhança   134
   Vedação à modificação do bem   136
   Obrigações do proprietário de
conservar o bem tombado   138
Sanções administrativas e penais   139
   Sanções administrativas   139
      Multa   139
      Demolição   142
      Embargo de obras   142
   Sanções penais   143
A competência para legislar sobre tombamento   144
   A Constituição de 1967/Emenda Constitucional nº 1/69 144
   A Constituição de 1988   146
Tombamento: lei específica ou ato administrativo?   147
Tombamento e normas urbanísticas   148
Tombamento: indenização e desapropriação   150
Estatuto da Cidade   151
Tutela Processual Civil dos Bens Culturais   152
   Ação civil pública   152
   Ação popular   153

CAPÍTULO 6
**A Convenção Relativa à Proteção do Patrimônio Mundial,
Cultural e Natural, de 1972, e a assistência internacional**   155
Assistência internacional e cooperação   157
   A proteção internacional do patrimônio cultural:
os planos normativo e construtivo   158

A ação no plano técnico	160
A ação no plano educativo	161
A ação no plano financeiro	161
A assistência internacional e sua aplicabilidade	162
Cooperação técnica e Lista do Patrimônio Mundial	162
Assistência preparatória e lista indicativa	162
Assistência de emergência e Lista do Patrimônio Mundial em Perigo	163
Treinamento	164
Assistência para atividades promocionais	164
Assistência e solidariedade internacional	166
Assistência e campanhas internacionais	167
O sistema de monitoramento	167
Assistência internacional e o patrimônio cultural das cidades brasileiras	169
CONCLUSÕES	175
ANEXOS	183
Decreto nº 80.978, de 12 de dezembro de 1977	185
Convenção Relativa à Proteção do Patrimônio Mundial, Cultural e Natural, de 1972	187
Recomendação sobre a proteção, em âmbito nacional, do Patrimônio Cultural e Natural, de 1972	207
BIBLIOGRAFIA	209

LISTA DE SIGLAS E ABREVIATURAS

AAA: Association des Auditeurs et Anciens Auditeurs de l'Académie de Droit International de La Haye
DOU: Diário Oficial da União
RDA: Revista de Direito Administrativo
RDP: Revista de Direito Público
RT: Revista dos Tribunais

Letras "C" ou "N" maiúsculas, seguidas de número arábico, entre parênteses – exemplo: (C 1) –, indicam a natureza do bem (cultural ou natural) da Lista do Patrimônio Mundial e sua ordem de inscrição.

APRESENTAÇÃO 1ª EDIÇÃO

A Convenção do Patrimônio Mundial, aprovada em 1972, inscreve-se dentre as mais bem-sucedidas estratégias da Unesco para a preservação da diversidade dos povos, de suas culturas e territórios, em que, em última instância, estão assentados os fundamentos do respeito, da tolerância e de um desenvolvimento social e culturalmente equilibrado. Em 1977, o Brasil aderiu à Convenção e, entre 1980 e 2001, dezessete sítios culturais e naturais brasileiros foram inscritos na Lista do Patrimônio Mundial, resultando, nos dias atuais, em um painel bastante representativo da riqueza cultural e natural do país.

Partindo do objetivo inicial de analisar esse instrumento sob a ótica do Direito Internacional, a tese do professor Fernando Fernandes da Silva, cujo processo de elaboração a Representação da Unesco no Brasil teve o prazer de acompanhar, parece-nos ir além. A extensa pesquisa e a profunda reflexão desenvolvidas no seu bojo acabam por nos oferecer um rico relato da história da atuação da Unesco no campo da cultura, assim como da evolução da implementação dessa Convenção no Brasil.

O crescente interesse de um público cada vez mais diversificado pela preservação de bens culturais e, em especial, pelo título do Patrimônio Mundial faz com que esse trabalho seja ainda mais oportuno, uma vez que contribuirá para demonstrar que a Convenção está fundada em um conjunto de conceitos, critérios e formas de operacionalização que compõem um todo coerente.

A Unesco/Brasil congratula-se com o autor por sua contribuição à adequada compreensão da Convenção e à construção de políticas públicas que possibilitem valorizá-la, sem perder de vista seus princípios e sua motivação.

Jorge Werthein
Representante da Unesco no Brasil

PREFÁCIO 1ª EDIÇÃO

O presente trabalho resulta das pesquisas e reflexões do professor Fernando Fernandes da Silva, realizadas no Brasil e no exterior durante o seu programa de pós-graduação na Faculdade de Direito da USP, o qual, iniciado em 1991, culminaria, no segundo semestre de 1996, com a defesa de uma dissertação de mestrado em Direito Internacional intitulada "As cidades históricas brasileiras e a Convenção do Patrimônio Mundial, Cultural e Natural de 1972". Na verdade, o autor, que então conquistou o título de Mestre em Direito Internacional, esteve sob nossa orientação no referido programa até 1994, data em que, por motivo de havermos reassumido nossas funções diplomáticas, tivemos de ausentar-nos do Brasil, tendo em vista designação do governo para servirmos como conselheiros na missão do Brasil na Organização das Nações Unidas e outras organizações internacionais sediadas em Genebra. A partir de tal data e até o momento da defesa de sua dissertação, o professor Fernando Fernandes da Silva ficou sob a orientação mais vigorosa e mais competente do ilustre colega, o eminente professor doutor Luiz Olavo Baptista, razão pela qual o trabalho sofreu substanciais melhoramentos e foi apresentado de maneira mais aperfeiçoada.

Poderia parecer desapropriado conferir-se a um professor de Direito Internacional do Meio Ambiente a tarefa de orientar um trabalho de mestrado em Direito Internacional, num tema como a proteção das cidades históricas brasileiras, à luz das normas da Convenção da Unesco, "sobre o Patrimônio Mundial, Cultural e Natural", adotada em Paris, em 1972. Igualmente, haveria dúvidas quanto à pertinência de estarmos a prefaciar este livro, que é exemplar no tema em que se propôs versar!

Uma primeira e superficial análise do assunto pareceria indicar que o fenômeno da proteção do patrimônio cultural da humanidade caberia mais no campo de um Direito Internacional da Cultura, ou de um eventual e possível Direito Urbanístico da Humanidade. O tema, contudo, é do Direito Internacional do Meio Ambiente!

À primeira vista, não deixa de ser estranho colocar-se o campo da proteção do patrimônio cultural, como as cidades históricas, os monumentos notáveis, as obras de arte, juntamente com as normas de proteção a animais e plantas, no mesmo pé de igualdade que a preocupação com a proteção do clima e da camada de ozônio e da preservação das águas doces e das oceânicas. Pelo menos, já de início haveria uma antinomia entre a "natureza", entendida como "o dado", e o mundo da cultura, "o construído"! Não sendo evidente um relacionamento entre ambos os mundos, haveria, assim, a necessidade de provar-se em que medida o tema das normas internacionais destinadas à preservação do meio ambiente cultural pode ser incluído no campo do Direito Internacional do Meio Ambiente, da mesma forma que os animais e as plantas, seus hábitats e as relações ecológicas entre eles.

O Direito Internacional do Meio Ambiente é um ramo recente da ciência jurídica, cuja emergência se deu a partir dos anos 1960, portanto sob a égide da Organização das Nações Unidas. Naquele momento histórico, o mundo já se tinha tornado pequeno e interligado, dada a atuação das forças provenientes do crescimento industrial iniciado no século anterior, das facilidades de transportes internacionais e das telecomunicações, que acabaram por dar-lhe a feição de um grande mercado mundial. Contudo, juntamente com o fenômeno da globalização, não foram unicamente os ideais desenvolvimentistas e os benefícios do desenvolvimento industrial que se espalharam por todo o mundo, mas, igualmente, os danos e as mazelas que acompanhavam e que ainda podem acompanhar uma industrialização dos Estados, em particular aquela acelerada e sem quaisquer parâmetros éticos quanto aos malefícios dela decorrentes.

O crescimento econômico puramente quantitativo, de resultados imediatos, sem considerações pelas consequências futuras, com o total desprezo pela precariedade de certos fatores presentes na natureza, levou a ameaças de exaustão dos recursos naturais. Por mais avançadas que fossem a ciência e a tecnologia da segunda metade do século XX, o homem se deu conta de que há elementos na natureza que não são recicláveis e, o que é pior, são insubstituíveis no caso de seu desaparecimento ou degradação.

Foram várias as formas pelas quais o homem da segunda metade do século XX tomou ciência da fragilidade da natureza, em face do seu poder pessoal de destruição. Num primeiro momento, houve a consciência de que existem, na natureza, não só fenômenos que têm um ciclo vital independente da vontade do homem e que fogem à pretensa racionalidade de um planejamento econômico, mas também formas de vida que, extintas, não mais podem ser refeitas em laboratórios ou em experimentos criados pelo homem. Num segundo, o homem moderno tomou consciência de que existe uma correlação harmônica entre todos os seres vivos, entre eles e deles com os respectivos hábitats, e, portanto, que o meio ambiente é um conjunto complexo onde o desequilíbrio de uma das partes causa danos a todo o conjunto, sendo ele, homem moderno, um dos elementos componentes desse conjunto. Enfim, os reclamos das populações, advindos de uma degradação insuportável do meio ambiente imediatamente relacionado ao homem, com a morte dos rios de onde provém a água de que necessita para suas necessidades vitais, o envenenamento dos ares e das terras férteis pelos agrotóxicos, foram elementos determinantes para que o homem da denominada civilização ocidental, da segunda metade do século XX, descobrisse a natureza!

A partir de tal tomada de consciência sobre a fragilidade da natureza, frente ao poder de destruição do homem, o passo seguinte seria a adoção de medidas adequadas para sua preservação, a ser empreendida pelos indivíduos atualmente vivos, seja no interesse deles próprios, seja no interesse das futuras gerações.

Na verdade, até a segunda metade do século XX, a natureza não era levada em consideração como um valor intrínseco a ser preservado. Ao contrário, toda a filosofia ocidental foi concebida na base da ideia de que o homem é o centro do universo, em torno do qual todas as coisas circulam e estariam a seu serviço. Dentro de um antropocentrismo unilateral, a natureza sempre foi considerada como um ambiente hostil ao ser humano, que necessitaria ser domesticada, transformada, destruída, para no seu lugar colocar-se o "construído" pelo homem, segundo suas necessidades presentes. Na história da humanidade, sobretudo após a industrialização, jamais encontraremos atitudes de prudência quanto ao uso de fatores de produção, em particular daqueles diretamente retirados da natureza: até os anos 1960, era dominante uma concepção do mundo, que aos nossos olhos de hoje pareceria inacreditável, de que ela, a natureza, à semelhança de uma feiticeira ou de um mago, repararia toda a degradação do meio ambiente, reporia os estoques de animais consumidos sem critério ou cujos hábitats tinham sido destruídos, limparia os rios e os oceanos de qualquer poluição que viesse da terra, e os ventos levariam os gases tóxicos, as substâncias em suspensão e as radiações nucleares para um espaço mágico, onde seriam, mal se saberia como, neutralizados.

A reação causada pela "descoberta da natureza", em face do desprezo que até aquele momento o homem moderno tinha por ela, foi bastante radical. Um dos exageros foi afirmar-se que a existência e a higidez dos animais e plantas, seu relacionamento recíproco e com o mundo material, deveriam ser o centro das preocupações dos sistemas jurídicos internos dos Estados e das normas do Direito Internacional, chegando-se mesmo ao absurdo de afirmar que animais e plantas teriam um direito natural de existência, oponível a qualquer comportamento dos seres humanos! A um antropocentrismo unilateral e exagerado dos séculos anteriores, o século X viu emergir um culto à natureza, centrado na deusa Geia, um panteísmo materialista, à qual os homens deveriam subordinar suas vidas presentes e futuras.

Mal se dando conta de que por "natureza" se deve entender, em qualquer dimensão histórica ou geográfica, a presença necessária do homem, com todo o seu arsenal de atividades modificadoras de tudo quanto lhe foi dado por Deus ou legado pelos seus predecessores, o citado panteísmo materialista conduziu a atitudes de total negação do progresso humano e de considerar irreconciliáveis o desenvolvimento econômico e a preservação do meio ambiente.

Dentro de tal concepção de "natureza", ao disciplinar a proteção de um hábitat, como o patrimônio cultural e natural, o Direito nada mais estaria realizando do que proteger um hábitat de um animal particular, exatamente aquele que mais destrói o próprio hábitat e os de outros animais e plantas. Tais deveres de preservação do patrimônio cultural decorreriam dos deveres mais gerais de proteção da biodiversidade, tal qual inscritos na Convenção sobre a Diversidade Biológica, votada por todos os Estados da atualidade durante a Conferência das Nações Unidas sobre o Meio Ambiente e Desenvolvimento, a Eco-92, realizada no Rio de Janeiro, em junho de 1992. Como se sabe, a uniformidade artificial entre seres vivos (leia-se: imposta pelo homem) constitui o mais importante fator para a própria destruição deles ou para o aparecimento de desvios genéticos, como comprovam as tentativas de uniformizar, por meio de práticas comerciais internacionais, na agricultura de todo o mundo as sementes ou os animais de corte. Portanto, preservar o mundo da cultura, que é o hábitat do ser humano, decorreria dos deveres urgentes de preservar a diversidade entre os seres vivos.

Essa concepção de cultura, a nosso ver, é bastante limitada e parte de um falso pressuposto de que o desenvolvimento humano, em particular o industrial, constitui o antípoda dos deveres de preservação da natureza. Parece-nos explicável o fato de, num determinado momento histórico, sob a égide da ONU, na reunião convocada pela ONU, em Estocolmo, em 1972, os Estados industrializados terem juntado suas posições para reconhecer as necessidades de uma ação conjunta, com o propósito de pôr fim à degradação do meio ambiente humano, conforme se denota a partir da leitura da famosa Declaração de Estocolmo sobre o Meio Ambiente Humano. Nos anos que se seguiram, as discussões diplomáticas deixaram expresso existir, por parte dos Estados industrializados, uma consciência relativamente culpada pelos males que seu desenvolvimento passado tinha causado à natureza e, portanto, uma política clara de evitar que tal fato se repetisse. As tentativas de instituir-se para os países em desenvolvimento um forte dever de comportar-se, até mesmo dentro de suas fronteiras nacionais, de molde a não fazer espraiar, ainda mais, os malefícios de um desenvolvimento econômico, tiveram como resposta destes a prova de que existiria um direito tão imanente e importante aos seres humanos, como o de possuir um meio ambiente sadio, um outro, o direito a um desenvolvimento, mesmo que este carregasse com ele os perigos do desequilíbrio ambiental.

As antinomias entre desenvolvimento econômico, em todos os seus aspectos, e a necessidade de preservação do meio ambiente foram resolvidas com a consagração, pela esmagadora maioria dos Estados da atualidade, do conceito de "sustentabilidade", consagrado na segunda reunião mundial convocada pela ONU, no tema do Direito Internacional do Meio Ambiente, dessa vez, no Rio de Janeiro, em 1992, a Conferência das Nações Unidas sobre Meio Ambiente e Desenvolvimento, a Eco-92. Em decorrência de tal conceito, os Estados se autoimpuseram um dever de vigorosamente conferir, a qualquer decisão oficial das suas autoridades, em todos os campos da vida societária, nomeadamente nos campos político, legislativo, e das decisões dos juizes e tribunais, a dimensão ambiental. De igual forma, nas relações internacionais, a partir de 1992, houve a consagração do dever de conferir-se sustentabilidade às decisões das organizações interestatais, em particular os bancos internacionais e as agências financiadoras, ou seja, de que qualquer decisão relativa a financiamentos deveria estar necessária e fortemente apoiada em pressupostos da proteção ambiental.

Feitas as considerações anteriores, ressalta evidente que a proteção do patrimônio natural e cultural é uma decorrência da necessidade de preservar-se o meio ambiente mundial, seja na ótica de considerar-se o homem como um dos componentes da biodiversidade (dependendo da visão particular do leitor, de estar o indivíduo subordinado ou não subordinado aos ditames da deusa Geia), seja em decorrência da aplicação do dever de sustentabilidade que o Direito Internacional do Meio Ambiente impõe aos Estados.

Contudo, apesar de tais pressupostos, ainda faltaria esclarecer quais as razões de o Direito Internacional do Meio Ambiente preocupar-se com a preservação dos patrimônios culturais e naturais, que, na verdade, deveriam ser da pertinência exclusiva das normas jurídicas internas dos países. As cidades históricas, as cidades modernas, os monumentos, as obras de arte conservadas em museus, constituem criações de um povo, no seu passado, e algumas nos dias presentes, e, em princípio, destinam-se não só à satisfação das necessidades materiais e espirituais desse povo, mas representam, igualmente, a criatividade do ser humano, enquanto um ser universal. Naquela visão de um panteísmo materialista, seria simples a demonstração: partindo-se do pressuposto de que os deveres de preservar a existência de uma planta ou um animal significa não somente preservar os indivíduos e a espécie, mas, igualmente, os seus hábitats, conclui-se que a preservação da cultura é a própria preservação do homem, porquanto esta constitui um componente necessário a seu hábitat. Sem dúvida, é impossível pensar-se num urso panda sem os brotos de bambu, que lhe são tenros e deliciosos, ou num mico-leão-dourado com sua ingênua e resplandecente integração com a natureza, mas sem uma floresta tropical; da mesma forma, cogitar-se num homem sem uma manifestação estética, desprovido de uma profunda e essencial preocupação de realizar o belo, a viver sem os instrumentos culturais que herdou dos antepassados, seria pensar num outro animal, talvez um bípede implume, como queriam certos gregos, mas não o ser humano.

Na visão do desenvolvimento sustentável, a preservação do patrimônio natural e cultural, que constitui o hábitat do ser humano, decorre dos deveres de resguardar aquilo que não se pode reconstruir, uma vez destruído. E tais deveres são referíveis a quaisquer seres que integram o conceito de humanidade, entidade sem fronteiras, que existe onde haja homens e mulheres.

Posto isso, os deveres que incumbem aos Estados de preservar os bens integrantes do patrimônio da humanidade, que são os bens culturais e naturais, são o objeto da presente obra. A partir dela, graças à feliz exposição de seu autor, o mestre Fernando Fernandes da Silva, o leitor ficará ciente das razões pelas quais as cidades históricas brasileiras, ou partes delas, se encontram na lista dos bens culturais integrantes do patrimônio da humanidade. Também ficará informado de que Ouro Preto, Diamantina, a obra escultórica do Aleijadinho, o legado das ruínas dos catequistas jesuítas nas Missões, ao sul do país, o Pelourinho, na cidade do Salvador, na Bahia, para apenas citar alguns dos bens brasileiros incluídos na lista do patrimônio cultural da humanidade, já não são mais unicamente integrantes do patrimônio do povo brasileiro. Tais bens pertencem à humanidade, pois qualquer estrangeiro, jovem ou idoso, que banhe seus olhos na beleza de tais construções do povo brasileiro, haverá de reconhecer a genialidade e universalidade do espírito humano, que se faz presente onde quer que haja a manifestação mais típica do ser humano: a construção do seu hábitat.

São Paulo, em 6 de fevereiro de 2003.

Guido Fernando Silva Soares
Professor titular de Direito Internacional Público
da Faculdade de Direito da Universidade de São Paulo

INTRODUÇÃO

A partir da Segunda Guerra Mundial, novos temas vêm incorporando-se ao Direito Internacional Público, a exemplo do meio ambiente, direito das organizações internacionais, direitos humanos, controle de armas nucleares, entre outros.

Em relação ao meio ambiente, Celso D. de Albuquerque Mello[1] afirma que, em meados da década de 1990, o Direito Internacional do Meio Ambiente já congregava mais de trezentos tratados multilaterais e aproximadamente novecentos tratados bilaterais, possuindo esse ramo do Direito pouco mais de trinta anos de existência.

Essa mesma tendência é observada no Direito Internacional da Cultura em relação à proteção dos bens culturais. Após a Segunda Guerra Mundial, sob o patrocínio da Organização das Nações Unidas para a Educação, a Ciência e a Cultura (Unesco), são aprovados quatro tratados internacionais e dez recomendações, entre 1956 e 1980, referentes à proteção do patrimônio cultural da humanidade de caráter material. No nível regional, várias convenções vêm sendo adotadas, tanto no âmbito da União Europeia, depois da Convenção Cultural Europeia de 1954, como no da Organização dos Estados Americanos (OEA), a exemplo da Convenção para a Proteção da Herança Arqueológica, Histórica e Artística das Nações Americanas (Convenção de São Salvador), de 1976.

Em se tratando de tema novo na seara do Direito Internacional Público, o desenvolvimento de estudos a respeito da proteção internacional dos bens culturais é imprescindível, pois a doutrina nacional tem demonstrado pouco interesse pelo assunto.

As obras estrangeiras mais recentes tratam da proteção internacional dos bens culturais de maneira distinta da abordagem a ser feita nesta obra.

---

1. *Curso de Direito Internacional Público*. 9. ed. Rio de Janeiro: Renovar, 1992, v. II, p. 996.

Kifle Jote e Oriol Casanovas y La Rosa discorrem sobre a proteção internacional dos bens culturais de forma global, analisando os principais tratados regulamentadores da proteção.

Sharon A. Williams descreve o quadro da proteção internacional dos bens culturais móveis, enfatizando o Direito Comparado.

Alexandre Charles Kiss e Antonio Blanc Altemir preocupam-se em relacionar o patrimônio cultural da humanidade com o patrimônio comum da humanidade.

Todos esses estudos, não obstante, são da mais alta relevância para o Direito Internacional Público e contribuem para o aprimoramento do Direito Internacional da Cultura.

Nossa proposta é enfocar exclusivamente a Convenção Relativa à Proteção do Patrimônio Mundial, Cultural e Natural, de 1972, identificando sua estrutura e o funcionamento de seus mecanismos e demonstrando sua ação protetora em relação ao patrimônio cultural das cidades brasileiras.

Essa abordagem é nova em relação à doutrina nacional e estrangeira e visa sistematizar e disciplinar uma série de informações e debates doutrinários acerca de um tema: o funcionamento da Convenção e seu raio de aplicabilidade.

Para delimitar o objeto da obra, convém enquadrarmos o tema em face da classificação dada pela doutrina à proteção dos bens culturais. Os bens culturais recebem a tutela de normas internacionais classificadas *em tempos de guerra e em tempos de paz*[2]. Situam-se no primeiro grupo as convenções de Haia, de 1899 e 1907, codificadoras dos costumes de guerra, cujos dispositivos prescrevem ações voltadas à proteção dos bens culturais em um quadro de hostilidades da guerra, e a Convenção para a Proteção dos Bens Culturais em Caso de Conflito Armado (Convenção de Haia de 1954), primeiro tratado de âmbito

---

2. Sharon A. Williams. *The International and National Protection of Movable Cultural Property: a Comparative Study*. Nova York: Oceana Publications, 1978. Kifle Jote. *International Legal Protection of Cultural Heritage*. Estocolmo: Juristförlaget, 1994. Oriol Casanovas y La Rosa. *La Protección Internacional del Patrimonio Cultural*. Madri: Instituto Hispano-Luso-Americano de Derecho Internacional (IHLADI), 1991.

universal que se dedica exclusivamente à proteção dos bens culturais em caso de guerra.

Em tempos de paz, permitimo-nos citar a Convenção sobre as Medidas a Serem Adotadas para Proibir e Impedir a Importação, Exportação e Transferência de Propriedade Ilícitas dos Bens Culturais (Paris, 1970), que visa coibir a exportação, importação e transferência de propriedade ilícitas dos bens culturais mediante a cooperação internacional entre os Estados[3]; e a Convenção Relativa à Proteção do Patrimônio Mundial, Cultural e Natural (Paris, 1972), que disciplina a proteção dos bens culturais imóveis em razão das "causas tradicionais de degradação" e dada a "evolução da vida social e econômica".

Segundo o critério estabelecido por Oriol Casanovas y La Rosa[4], as normas internacionais também podem ser classificadas segundo sua funcionalidade: *conservação, restituição e retorno.*

As normas de *conservação* objetivam manter a integridade física dos bens culturais. Apresentam-se em tratados internacionais protetores dos bens culturais em hipóteses de conflito armado, a exemplo das convenções de Haia, de 1899 e 1907, que estabelecem a obrigação de os Estados beligerantes respeitarem os monumentos históricos o quanto possível, ou *em tempos de paz*, na hipótese da Convenção Relativa à Proteção do Patrimônio Mundial, Cultural e Natural, de 1972, que disciplina a proteção dos monumentos, conjuntos e lugares notáveis[5].

As normas de *restituição* disciplinam a devolução de bens culturais aos seus legítimos titulares quando tomados ilicitamente. É o caso do Protocolo Facultativo da Convenção de Haia de 1954, que contém dispositivos que proíbem a exportação de bens culturais do território ocupado, durante o conflito armado[6], ou determinam a restituição, uma vez terminado o conflito, dos bens ilicitamente exportados às autoridades competentes do território anteriormente ocupado[7]. A restituição de

---

3. Convenção sobre as Medidas a Serem Adotadas para Proibir e Impedir a Importação, Exportação e Transferência de Propriedade Ilícitas dos Bens Culturais, artigo 1º.
4. Op. cit, pp. 16-31.
5. Convenção Relativa à Proteção do Patrimônio Mundial, Cultural e Natural, de 1972, artigo 1º.
6. Protocolo Facultativo da Convenção de Haia de 1954, artigo 1º.
7. Protocolo Facultativo da Convenção de Haia de 1954, artigo 2º.

bens culturais *em tempos de paz* é disciplinada pela Convenção sobre as Medidas a Serem Adotadas para Proibir e Impedir a Importação, Exportação e Transferência de Propriedade Ilícitas dos Bens Culturais (Paris, 1970). Os bens culturais protegidos pela Convenção são de natureza mobiliária e estão definidos em seu artigo 1º.

As normas de *retorno* dispõem sobre a recuperação de determinados bens culturais pelo país de origem, em hipóteses nas quais não tenha havido afronta à legislação nacional protetora à época da saída de tais bens. Enquadram-se nessas situações as reclamações perpetradas por ex-colônias asiáticas, africanas e americanas em relação às suas antigas metrópoles. Nesse sentido, a maioria das normas de retorno figura em tratados bilaterais.

Diante desses critérios doutrinários, a obra está elaborada de acordo com a proteção internacional dos bens culturais imóveis, principalmente *em tempos de paz*, tendo como diretriz de proteção as normas de conservação.

Nessa perspectiva é que nos propusemos a elaborar a presente obra, cujo objeto é descrever a tutela do patrimônio cultural das cidades brasileiras (Olinda, Salvador, Ouro Preto, Congonhas, Brasília, São Luís, Diamantina, Cidade de Goiás e São Cristóvão) pela Convenção Relativa à Proteção do Patrimônio Mundial, Cultural e Natural, de 1972. Essa tutela manifesta-se sob um tríplice aspecto: a delimitação do patrimônio cultural, a proteção nacional desse patrimônio e a assistência internacional dos bens culturais na forma de cooperação internacional entre os Estados.

A delimitação, no quadro dado pela Convenção Relativa à Proteção do Patrimônio Mundial, Cultural e Natural, de 1972, compreende o reconhecimento de bens pertencentes ao patrimônio cultural da humanidade, por meio do processo de inscrição dos bens culturais na Lista do Patrimônio Mundial, segundo critérios estabelecidos pelo Comitê do Patrimônio Mundial. Nesse campo, demonstraremos o processo de inscrição e os critérios que abalizaram a inscrição do patrimônio cultural das cidades brasileiras.

A proteção nacional dos bens culturais atende às disposições da seção II da Convenção, que disciplina as obrigações que os Estados devem cumprir em relação à proteção de seus bens culturais, segundo padrões estabelecidos por recomendações internacionais, sobretudo a Recomendação sobre a Proteção, em Âmbito Nacional, do Patrimônio Cultural e Natural (Paris, 1972).

A assistência internacional consiste nos benefícios oferecidos pela comunidade internacional, representada pelo Comitê do Patrimônio Mundial, aos bens pertencentes ao patrimônio cultural da humanidade, mediante o sistema de cooperação internacional (seção V). A assistência internacional é empreendida pelas seguintes instituições: Comitê do Patrimônio Mundial, Fundo do Patrimônio Mundial, Conselho Internacional de Monumentos e Lugares de Interesse Artístico e Histórico (ICOMOS) e Centro Internacional de Estudos para Conservação e Restauração dos Bens Culturais (ICCROM).

A concepção de tutela internacional foi apurada durante os trabalhos preparatórios da Convenção (1966-1972), sobretudo em razão das conclusões de duas reuniões de especialistas na área da proteção dos bens culturais, promovidas pela Unesco em março de 1968 e em fevereiro de 1969. Em razão dessa concepção, definimos a estrutura básica da obra.

Assim, o primeiro capítulo tem como objetivo demonstrar a importância da proteção dos bens culturais pela inserção do tema patrimônio cultural da humanidade no Direito Internacional Público, os interesses comuns da humanidade em torno da proteção dos bens culturais e o reconhecimento da concepção de um patrimônio cultural da humanidade na seara do Direito Positivo Internacional.

O segundo capítulo aborda a contribuição do Direito Internacional Interestatal para a proteção dos bens culturais imóveis, caracterizada por congressos e conferências *ad hoc*: as convenções de Haia de 1899 e 1907, as convenções de Genebra de 1949 e seus Protocolos Adicionais I e II, de 1977, que preveem a proteção dos bens culturais, em casos de guerra, desde que não sejam utilizados para fins militares. Versa, ainda, sobre a participação das organizações internacionais não governamentais, por meio das cartas de Atenas (1933) e Veneza (1964), diretivas que contêm princípios de proteção dos bens culturais imóveis e auxiliam as decisões das instituições que atuam no quadro da Convenção Relativa à Proteção do Patrimônio Mundial, Cultural e Natural, de 1972. No âmbito do Direito das Organizações Internacionais, há a contribuição dada pela União Pan-Americana, ao promover a elaboração do projeto do Pacto Roerich, de 1935, e os trabalhos da Unesco para a adoção pelos Estados de convenções e recomendações, além da promoção de campanhas internacionais para a proteção do patrimônio cultural.

Reportamo-nos às Convenções de Haia de 1899 e 1907 como marco inicial do quadro evolutivo da proteção internacional dos bens culturais imóveis, pois são as primeiras convenções de caráter universal a disciplinar a proteção desses bens.

Omitimos deliberadamente as convenções decorrentes do patrocínio de organizações regionais, como a Convenção para a Proteção da Herança Arqueológica, Histórica e Artística das Nações Americanas (Convenção de São Salvador), realizada em 1976, dado que o objeto da análise são as convenções de caráter universal.

A finalidade do segundo capítulo é demonstrar os fundamentos da proteção dos bens culturais imóveis. No início do século XX, a proteção era permeada da ideia de preservação em face da guerra. Com o surgimento da Unesco, em 1945, o conceito de proteção é ampliado mediante normas jurídicas que disciplinam a preservação dos bens culturais em razão de inúmeros fatores, como as ações destrutivas do meio ambiente, o crescimento desordenado das cidades e uma noção de progresso que desconsidera valores sociais desprovidos de qualquer conteúdo econômico. É o que se costuma denominar, na doutrina, "proteção em tempos de paz".

O terceiro capítulo dedica-se às instituições que executam a política protetora dos bens culturais disciplinada pela Convenção Relativa à Proteção do Patrimônio Mundial, Cultural e Natural, de 1972: origem, estrutura, principais funções e as atuações específicas diante do quadro da Convenção.

No quarto capítulo estuda-se a delimitação do patrimônio cultural mediante o processo de inscrição dos bens culturais na Lista do Patrimônio Mundial e os critérios que abalizam a inscrição dos bens culturais, enfatizando a inscrição do patrimônio cultural das cidades de Olinda (PE), Salvador (BA), Ouro Preto (MG), Congonhas (MG), Brasília (DF), São Luís (MA), Diamantina (MG), Cidade de Goiás (GO) e São Cristóvão (SE). Discorremos ainda sobre o processo de inscrição na Lista do Patrimônio Mundial em Perigo, nas hipóteses em que os bens são ameaçados por perigos iminentes de grande impacto. A delimitação é importante na medida em que possibilita uma cooperação internacional definida ao permitir a seleção dos bens que merecem proteção privilegiada da comunidade internacional.

O quinto capítulo trata da proteção nacional dos bens culturais e aborda os principais institutos jurídicos brasileiros adotados para a proteção do nosso patrimônio cultural, sobretudo aqueles empregados em relação às cidades de Olinda, Salvador, Ouro Preto, Congonhas, Brasília, São Luís, Diamantina, Cidade de Goiás e São Cristóvão, inseridas na Lista do Patrimônio Mundial. Os institutos são tratados em estreita correlação com a Recomendação sobre a Proteção, em Âmbito Nacional, do Patrimônio Cultural e Natural (Paris, 1972) para aferir se o nosso ordenamento jurídico atende aos padrões internacionais de proteção por ela disciplinados. Especificamente, esse capítulo cuida da proteção dos bens culturais em face das constituições brasileiras; do instituto do tombamento como meio de proteção do patrimônio cultural; das tutelas penal e processual do patrimônio cultural; da promulgação da Constituição Federal de 1988; e das inovações trazidas relativamente à matéria.

O sexto capítulo discorre sobre a assistência internacional aos bens culturais, que se realiza pela cooperação internacional nos campos técnico, financeiro e educativo, enfatizando, ao final, a cooperação empreendida no que se refere ao patrimônio cultural de Olinda, Salvador, Ouro Preto, Congonhas, Brasília, São Luís, Diamantina, Cidade de Goiás e São Cristóvão. Estão relacionadas também as várias formas de delimitação do patrimônio, seja pela Lista do Patrimônio Mundial, seja pela

Lista do Patrimônio Mundial em Perigo e a correspondente cooperação internacional.

Em todo o trabalho, salvo algumas exceções, utilizamos a expressão "bens culturais" como denominador comum das várias denominações dadas a essa categoria de bens: bens de valor artístico, bens de valor arqueológico, bens de valor histórico, bens de valor paisagístico, entre outras. Por outro lado, embora a Convenção Relativa à Proteção do Patrimônio Mundial, Cultural e Natural de 1972 discipline a proteção dos bens naturais e culturais, referimo-nos apenas a estes últimos, objeto que são de nosso estudo.

Nosso interesse pelo tema deve ser creditado a Briane Bicca, assessora da presidência da missão da Unesco no Brasil, cujo empenho proporcionou-nos uma pesquisa na sede da Unesco em Paris, entre setembro e outubro de 1994. Nesse período, tivemos acesso, entre outros documentos, àqueles referentes ao procedimento de elaboração da Convenção Relativa à Proteção do Patrimônio Mundial, Cultural e Natural, de 1972.

De igual modo, aos professores de Direito Internacional da Faculdade de Direito da Universidade de São Paulo, Vicente Marotta Rangel, Guido Fernando Silva Soares e Luiz Olavo Baptista, que nos orientaram para a realização de pesquisas na Academia de Direito Internacional de Haia, Holanda, e no Instituto de Altos Estudos, em Genebra, Suíça.

As fontes de pesquisa basicamente dividem-se nos seguintes campos: as obras da doutrina em relação à proteção nacional e internacional do patrimônio cultural; as atas dos trabalhos preparatórios da Convenção Relativa à Proteção do Patrimônio Mundial, Cultural e Natural, entre 1966 e 1972; os relatórios das reuniões do Comitê do Patrimônio Mundial, a partir de sua primeira reunião, em 1977; os dossiês de inscrição do patrimônio cultural das cidades brasileiras, retidos no Arquivo Central do Iphan (Instituto do Patrimônio Histórico e Artístico Nacional), no Rio de Janeiro, cujas cópias foram gentilmente cedidas para a pesquisa, bem como os endereços eletrônicos de organizações governamentais e não governamentais.

1

O PATRIMÔNIO CULTURAL DA HUMANIDADE COMO TEMA DE DIREITO INTERNACIONAL PÚBLICO

Igreja e Convento Franciscano de Nossa Senhora das Neves. Olinda, Pernamb

A progressiva destruição dos recursos ambientais indispensáveis à sobrevivência da espécie humana é uma realidade nos dias atuais. O crescimento socioeconômico, descompromissado com temas ecológicos, a possibilidade de destruição em massa, devido à corrida armamentista nas últimas décadas, e o desgaste natural de determinados recursos são ameaças reais aos "bens comuns do globo e de seus ecossistemas": os oceanos, o espaço cósmico e a Antártida[1].

Esses fatores exigem estratégias de proteção e de utilização racional dos recursos ambientais por meio de medidas globais, pois as áreas de impacto dos recursos não coincidem com as das soberanias estatais. O vazamento de óleo de um navio atracado no litoral de um Estado pode poluir o mar territorial de outros Estados; o buraco na camada de ozônio, provocado pela emissão de poluentes de um determinado Estado, afeta os demais Estados; o vazamento de elementos radioativos de uma usina nuclear pode atingir populações de regiões longínquas de outros Estados. Entretanto, a preocupação com a destruição de tais recursos não é, atualmente, o único fator que influi na interdependência entre os Estados. O crescimento de um movimento de solidariedade entre os Estados, visando à paz e à segurança em âmbito internacional, o progresso tecnológico e o desenvolvimento dos meios de comunicação contribuem para um mundo cada vez mais interdependente.

---

1. A terminologia "bens comuns do globo" e seu conteúdo são mencionados na obra *Nosso Futuro Comum*, elaborada pela Comissão Mundial sobre Meio Ambiente e Desenvolvimento. 2. ed. Rio de Janeiro: Fundação Getulio Vargas, 1991, p. 21.

É nesse contexto que J. A. Carrillo Salcedo[2] aponta, na atual ordem jurídica internacional, para uma cristalização da noção de patrimônio comum da humanidade, o que, "apesar de suas inegáveis ambiguidades, implica, sem dúvida, a superação do exclusivismo próprio da noção clássica de soberania territorial".

INTERESSES COMUNS DA HUMANIDADE E PATRIMÔNIO COMUM DA HUMANIDADE

A noção de patrimônio comum da humanidade, para Antonio Blanc Altemir[3], implica o "reconhecimento da existência de certos interesses comuns e superiores que se sobrepõem aos objetivos imediatos e particulares dos Estados". Esses interesses pressupõem a gestão do patrimônio comum da humanidade pela comunidade internacional, a repartição equitativa de seus recursos, a sua utilização para fins pacíficos e a exclusão de toda apropriação nacional ou reclamação unilateral de soberania.

Ao final do século XIX, ocorrem já manifestações doutrinárias a respeito de um patrimônio comum da humanidade, a exemplo das apresentadas pelo internacionalista francês La Pradelle, que denominava o mar "patrimônio da humanidade"[4].

A primeira referência a um patrimônio comum da humanidade no Direito Positivo Internacional é encontrada no preâmbulo do Tratado Constitutivo da Unesco (1945), que faz menção a um patrimônio universal no âmbito da cultura.

Especialmente a partir das décadas de 1950 e 1960, proliferam na ordem jurídica internacional convenções multilaterais e resoluções consagradoras de um patrimônio comum da humanidade nos mais diversos âmbitos: a Antártida, o espectro das frequências radioelétricas, o espaço

---

2. *El Derecho Internacional en un Mundo en Cambio*. Madri: Tecnos, 1984, p. 202. Tradução nossa.
3. *El Patrimonio Común de la Humanidad – Hacia un Régimen Jurídico Internacional para Sugestión*. Barcelona: Bosch, Casa Editorial, 1992, p. 31. Tradução nossa.
4. Apud Calixto A. Armas Barea. *Patrimonio Común de la Humanidad: Naturaleza Jurídica, Contenido Normativo y Prospectiva*. Madri: Instituto Hispano-Luso-Americano de Derecho Internacional (IHLADI), 1991, p. 3.

extra-atmosférico e os corpos celestes, os elementos da biosfera, os fundos marinhos e seu subsolo e o patrimônio natural e cultural[5].

Entretanto, a iniciativa mais importante para a materialização de um conceito de patrimônio comum da humanidade encontra-se no Direito do Mar, com base na proposta da delegação maltesa na Primeira Comissão da Assembleia Geral das Nações Unidas, realizada em 1º de novembro de 1967[6]. Essa proposta também é conhecida como Doutrina Pardo, em homenagem ao embaixador maltês Arvid Pardo, seu autor.

Em declaração diante da Assembleia Geral das Nações Unidas, Pardo reconheceu a importância dos fundos oceânicos como patrimônio comum da humanidade em face dos imensos recursos que poderiam ser explorados em benefício de toda a espécie humana. Ele propôs um regime de gestão desses recursos sob a direção de uma organização internacional, cuja atuação deveria se pautar pelos *princípios da não--apropriação, da utilização pacífica, da exploração e explotação da zona e seus recursos no interesse de toda a humanidade*, priorizando os países em desenvolvimento sempre de acordo com os propósitos da Carta das Nações Unidas.

O resultado imediato dessa iniciativa foi a adoção, pela Assembleia Geral das Nações Unidas, da Resolução 2749 (XXV), de 1970, que contém a Declaração de Princípios que Regulam os Fundos Marinhos e Oceânicos e seu Subsolo Fora dos Limites da Jurisdição Nacional[7].

---

5. Classificação dada por Alexandre Charles Kiss, cf. "La Notion de Patrimoine Commun de l'Humanité". *Recueil des Cours*. Académie de Droit International de La Haye, Haia, v. 175 (II), p. 119, 1982.
6. Sobre as linhas básicas da proposta maltesa, cf.: tese de doutorado de Maria de Nazaré Oliveira Imbiriba, *Do Princípio do Patrimônio Comum da Humanidade*. São Paulo: Faculdade de Direito da Universidade de São Paulo, 1980, pp. 28-31; e Antonio Blanc Altemir, *op. cit.*, pp. 21-31.
7. Merece transcrição o conteúdo da Resolução 2749 (XXV):
   "1. Los fondos marinos y oceánicos y su subsuelo fuera de los límites de la jurisdicción nacional (que en adelante se denominará la zona), así como los recursos de la zona, son patrimonio común de la humanidad."
   "2. La zona no estará sujeta a apropiación por medio alguno por Estados ni personas, naturales o jurídicas, y ningún Estado reivindicará ni ejercerá la soberanía ni derechos soberanos sobre parte alguna de ella." (J. A. Carrillo Salcedo, *op. cit.*, pp. 202-203)."

HUMANIDADE

A noção de patrimônio comum da humanidade pressupõe a humanidade na qualidade de sujeito de Direito Internacional, isto é, titular de direitos e obrigações, embora se trate de tema novo no Direito Internacional, motivo de controvérsias na doutrina.

Segundo Marco G. Marcoff[8], no Direito Positivo, o reconhecimento da humanidade enquanto sujeito de Direito Internacional ocorre pela primeira vez com a Declaração das Nações Unidas sobre a Lua e Demais Corpos Celestes – Resolução de 1962 (XVIII). Posteriormente, o Tratado sobre Princípios Reguladores das Atividades dos Estados na Exploração e Uso do Espaço Cósmico, Inclusive a Lua e demais Corpos Celestes (1967), reproduziu textualmente o parágrafo 1º daquela declaração, ao dispor que a "exploração e uso do espaço cósmico, inclusive a Lua e demais corpos celestes, são incumbência de toda a humanidade"[9,10]. O mesmo tratado reconhece também a humanidade enquanto sujeito de Direito Internacional ao impor aos Estados a obrigação de prestar toda a assistência possível aos *astronautas enviados da humanidade*[11].

Assim, é necessário apurar a noção de humanidade pelo ângulo da doutrina.

Antonio Blanc Altemir[12] considera humanidade "um conceito aberto" a todos os "homens, povos e Estados, sem distinção de raça, sexo, religião ou ideologia". Para Calixto A. Armas Barea[13], no sentido amplo, humanidade é todo o "gênero humano" que "compreende a todos os homens".

A noção de humanidade, para René Jean Dupuy[14], comporta uma característica "atemporal" que contempla as pessoas de hoje e do futuro.

---

8. *Traité de Droit International Public de l'Espace*. Fribourg: Éditions Universitaires Fribourg Suisse, 1973, p. 272.
9. Artigo 1º, parágrafo 1º.
10. *Ibid.*
11. *Ibid.*, artigo 5º.
12. *Op. cit.*, p. 36. Tradução nossa.
13. *Op. cit.*, p. 4. Tradução nossa.
14. "La Zone, Patrimoine Commun de l'Humanité". In: VIGNES, Daniel; DUPUY, René Jean (orgs.). *Traité du Nouveau Droit de la Mer*, 1985, capítulo 11, p. 500., 1985. Tradução nossa.

Disso resulta um liame entre os seres humanos da atual e da futura geração: os recursos do patrimônio comum da humanidade podem ser utilizados para atender às necessidades do presente, sem comprometer sua fruição pelas gerações vindouras, sob pena de extinção de toda a espécie humana.

Para Edith Brown Weiss[15], a relação entre as gerações presente e futura, de modo a assegurar a sobrevivência da humanidade, forma um conjunto de direitos e obrigações planetários em três princípios:

- *Princípio da Conservação de Opções*: a comunidade internacional deve assegurar às futuras gerações uma variedade de opções para a solução dos seus problemas futuros mediante a conservação da diversidade de seu patrimônio cultural e natural[16];
- *Princípio da Qualidade*: a presente geração deve transmitir à futura um patrimônio cultural e natural cuja qualidade não pode ser inferior a do atual[17];
- *Princípio da Conservação do Acesso*: a atual geração deve assegurar aos seus membros igualdade de acesso aos recursos naturais e culturais de nosso planeta. A utilização desses recursos não deve prejudicar sua qualidade e variedade para as futuras gerações[18].

Dada a impossibilidade de todos os seres humanos atuarem enquanto titulares de direitos e obrigações, como se materializa no Direito Internacional a gestão dos bens pertencentes ao patrimônio comum da humanidade?

Em que pesem os regimes diferenciados de gestão dos bens do patrimônio comum da humanidade, o elemento comum que permeia todas

---

15. *Fairness to Future Generations: International Law, Common Patrimony, and Intergenerational Equity*. Tóquio/Nova York: The United Nations University/Dobbs Ferry Transnational Publishers, 1989, pp. 45-46.
16. *Ibid.*, pp. 40-42.
17. *Ibid.*, pp. 42-43.
18. *Ibid.*, pp. 43-45.

as formas de gestão desse patrimônio, segundo Alexandre Charles Kiss[19], é a relação de *trust*: a gestão dos bens constitutivos do patrimônio comum da humanidade é confiada aos Estados e organizações internacionais, que, no papel de tutores, assumem a missão de depositários dos interesses comuns da humanidade, zelando pela conservação dos bens a serem transferidos às futuras gerações.

Nesse sentido, a título de exemplo, convém mencionar a Convenção das Nações Unidas sobre o Direito do Mar (1982), que estabelece que uma organização internacional, a Autoridade dos Fundos Marinhos[20], composta por todos os Estados-partes na Convenção[21], executará as atividades na área "em nome da humanidade em geral"[22].

A classificação de Alexandre Charles Kiss: patrimônio comum da humanidade "por natureza" e patrimônio comum da humanidade "por afetação"

Em razão das particularidades de cada regime jurídico de gestão do patrimônio comum da humanidade, Alexandre Charles Kiss identifica duas grandes categorias: patrimônio comum da humanidade "por natureza" e patrimônio comum da humanidade "por afetação".

Patrimônio comum da humanidade "por natureza"

O patrimônio comum da humanidade "por natureza" contempla a Antártida, o espectro das frequências radioelétricas, o espaço extra-atmosférico e os corpos celestes, os elementos da biosfera, os fundos marinhos e seu subsolo[23].

Caracteriza-se o patrimônio comum da humanidade "por natureza" pelo *princípio da não-apropriação nacional*: os Estados abdicam de qual-

---

19. *Op. cit.*, p. 231.
20. Convenção das Nações Unidas sobre o Direito do Mar, de 1982, artigo 157, parágrafo 1º.
21. *Ibid.*, artigo 156.
22. *Ibid.*, artigo 153, parágrafo 1º.
23. *Op. cit.*, p. 119.

quer reivindicação soberana sobre os bens daquele patrimônio em virtude de uma gestão conjunta que coordene a utilização e conservação de bens comuns no interesse da humanidade presente e futura[24].

O Tratado da Antártida, de 1959, reconhece em seu preâmbulo ser do "interesse de toda a humanidade" a utilização exclusiva da Antártida para fins pacíficos. O artigo 4º desse Tratado mantém intactas as reivindicações soberanas dos Estados até então, sem que isso caracterize renúncia ou ampliação de tais reivindicações. Por outro lado, enquanto estiver em vigor aquele Tratado, nenhum ato ou atividade poderá ser interpretado como nova reivindicação soberana[25]. Nesse sentido, o princípio da não-apropriação nacional é peculiar em relação a outros elementos do patrimônio comum da humanidade, pois, como acentua Antonio Blanc Altemir[26], o Tratado da Antártida instaura uma fórmula de "hibernação das reivindicações territoriais no sexto continente" ainda sem solução definitiva.

O Tratado sobre Princípios Reguladores das Atividades dos Estados na Exploração e Uso do Espaço Cósmico, Inclusive a Lua e demais Corpos Celestes, de 1967, proclama que o "progresso da exploração e uso do espaço cósmico para fins pacíficos"[27] apresenta um interesse "para toda a humanidade"[28], não podendo ser objeto de "apropriação nacional, por proclamação de soberania, por uso ou ocupação, nem por qualquer outro meio"[29], o espaço cósmico, a Lua e os demais corpos celestes.

A Convenção das Nações Unidas sobre o Direito do Mar (1982) reconhece que a "área e seus recursos" integram o "patrimônio comum da humanidade"[30], não podendo ser objeto de reivindicação ou exercício de soberania ou de direitos soberanos por nenhum Estado[31].

---

24. *Op. cit.*, p. 123.
25. Tratado da Antártida, 1959, artigo 4º, parágrafo 2º.
26. *Op. cit.*, p. 199. Tradução nossa.
27. Preâmbulo.
28. Preâmbulo.
29. Artigo 2º do Tratado.
30. Convenção das Nações Unidas sobre o Direito do Mar, de 1982, artigo 135.
31. *Ibid.*, artigo 137.

Patrimônio comum da humanidade "por afetação"

São considerados elementos do patrimônio comum da humanidade "por afetação" o patrimônio cultural e natural disciplinado pela Convenção Relativa à Proteção do Patrimônio Mundial, Cultural e Natural, de 1972.

A ideia de afetação advém do direito interno estatal, quando alguns bens são afetados para uso público ou para funcionamento de um serviço público, formando o domínio público do Estado ou de uma coletividade pública[32]: praças, instalações militares, prédios da administração, entre outros.

Muito embora seja assim no Direito Internacional, alguns bens afetados integram o domínio público internacional e continuam sob a jurisdição dos Estados. Dada a incompatibilidade entre domínio público internacional e soberania estatal, Alexandre Charles Kiss[33], influenciado pela doutrina francesa, sustenta a teoria do *dédoublement fonctionnel* como fórmula conciliatória: a comunidade internacional carente de instituições confia aos Estados a execução de serviços públicos internacionais mediante o exercício da competência territorial sobre determinados bens.

Assim, a Convenção Relativa à Proteção do Patrimônio Mundial, Cultural e Natural, de 1972, reconhece que a existência de "bens do patrimônio cultural e natural apresenta um interesse excepcional", devendo esses bens serem preservados como "elementos do patrimônio mundial da humanidade inteira"[34], respeitando plenamente a soberania dos Estados em cujos territórios estejam situados aqueles bens[35].

---

32. *Op. cit.*, p. 123.
33. *Ibid.*, p. 127.
34. Preâmbulo.
35. Convenção Relativa à Proteção do Patrimônio Mundial, Cultural e Natural, de 1972, artigo 6º, parágrafo 1º.

Unidade de fundamento:
interesses comuns da humanidade

Embora faça a distinção entre patrimônio comum da humanidade por natureza e por afetação, reconhece Kiss[36] que o interesse comum da humanidade sobre os bens desse patrimônio é o "traço comum" entre eles. Esse interesse decorre da necessidade de proteger determinados bens em prol da espécie humana, pois estão diretamente relacionados a sua sobrevivência. Esse é o elemento que unifica ambas as categorias sob o mesmo signo.

A perda de um bem cultural acarreta a perda do conhecimento a ser transmitido para as futuras gerações. Como assinala Edith Brown Weiss[37], as futuras gerações podem ser privadas de uma informação importante a respeito do valor de certos recursos naturais, em particular animais ou plantas, ou do funcionamento de sistemas políticos, sociais e econômicos, incluindo "arquivos e registros históricos sobre línguas, trabalhos de arte, composições musicais, trabalhos literários, tesouros arquitetônicos e monumentos".

Diego Uribe Vargas[38] adverte que a destruição do patrimônio cultural, em razão do "trabalho dos séculos" ou de "ações deliberadas", "tem privado as gerações do presente de dados importantes para a compreensão de fenômenos seculares".

Sharon A. Williams[39] possui linha de pensamento semelhante. Os bens culturais e naturais pertencem ao patrimônio comum da humanidade, pois a preservação de ambas as categorias objetiva proteger a humanidade da destruição[40]. Entretanto, observa que a noção de proteção do meio ambiente é permeada da ideia de morte[41], em uma alusão a que

---

36. *Ibid.*, p. 230. Tradução nossa.
37. *Op. cit.*, p. 9. Tradução nossa.
38. "La Troisième Génération des Droits de l'Homme". *Recueil des Cours*. Académie de Droit International de La Haye, Haia, v. 184 (I), p.373, 1984.
39. *The International and National Protection of Movable Cultural Property: a Comparative Study*. Nova York: Oceana Publications, 1978, p.63.
40. *Ibid.*
41. *Ibid.*

a destruição total de certos bens, tais como a água ou o ar, ameaçará a sobrevivência da espécie humana. A mesma noção não se aplicaria à proteção dos bens culturais, dado que a humanidade sobreviveria sem eles[42].

O interesse comum da humanidade em torno da proteção de certos bens culturais não está adstrito à ideia de sobrevivência. Hiroshi Daifuku[43] afirma que o século XX é um período marcado por intensas mudanças em virtude do rápido progresso tecnológico. Nesse contexto, a preservação é permeada do espírito de romantismo e nostalgia, motivada pelo interesse das pessoas em encontrarem um passado marcado pela estabilidade e prosperidade. Outros entendem a preservação dos bens culturais como uma ideia elitista, em que a manutenção de certas tradições constitui uma justificativa para a conservação do *status quo* de determinados setores sociais.

Hiroshi Daifuku[44] sustenta também que a "desumanização" e o "anonimato", em função da estandardização da produção em massa e dos grandes conglomerados urbanos, favorecem reações contrárias que se manifestam por meio de movimentos conservacionistas. Nas grandes cidades, encontram-se, atualmente, vários movimentos organizados pela sociedade civil contrários à sucessão violenta de estilos arquitetônicos que impossibilitam a manutenção de quaisquer resquícios do passado.

No plano internacional, o número crescente de instrumentos jurídicos torna patente a preocupação da comunidade internacional em proteger os bens culturais. A Convenção Relativa à Proteção do Patrimônio Mundial, Cultural e Natural, de 1972, por exemplo, dispõe em seu preâmbulo que o desaparecimento do patrimônio cultural e natural causará um empobrecimento nefasto a toda a humanidade. Portanto, os interesses comuns da humanidade na proteção dos bens culturais podem ser motivados em razão da ideia de sobrevivência, de tradicionalismo, de romantismo, de enriquecimento espiritual, científico e histórico, de fonte de prazer e contemplação, entre outros elementos.

---

42. *Ibid.*
43. "International Assistance for the Conservation of Cultural Property". In: ISAR, Yudhishthir Raj (ed.) *Why Preserve the Past? The Chalenge to our Cultural Heritage*. Paris: Unesco e Smithsonian Institution Press, p.53, 1986.
44. *Ibid*. Tradução nossa.

A CONCEPÇÃO DO PATRIMÔNIO CULTURAL DA HUMANIDADE

Oriol Casanovas y La Rosa[45] alude à existência de um interesse coletivo a respeito da proteção de bens culturais em séculos passados, conforme os ensinamentos de E. Vattel, que se expressava em favor da salvaguarda de edifícios que "honram a humanidade", durante os conflitos armados, e de uma regulamentação de 24 de março de 1849, aplicável ao norte da Itália, sob a ocupação austríaca, que "proibia o comércio de obras" provenientes das coleções públicas do Vaticano, Florença e Veneza, com a justificativa de que "o interesse da humanidade e da civilização" opunha-se a esse tipo de espoliação.

Em âmbito nacional, desde o início do século XX, as primeiras medidas legislativas estatais protetoras dos bens culturais influenciaram a formulação de instrumentos jurídicos internacionais de proteção, que adotaram institutos semelhantes de proteção, a exemplo do inventário. Os casos mais exemplificativos são o Reino Unido, com a Lei de Proteção aos Monumentos Antigos, de 1900, posteriormente reformada por outra lei, de 1913, referente também à proteção dos monumentos antigos, e, por último, a Lei de Planejamento Urbano e Rural, de 1947; a França, com a Lei de Tombamento, de 1913, e a chamada "Lei Malraux", de 1962; a Espanha, com a Lei sobre a Proteção do Patrimônio Histórico e Artístico, de 1933; a Itália, com a Lei sobre Proteção dos Monumentos Históricos, de 1939; e o Japão, com a Lei Protetora dos Bens Culturais, de 1950[46].

Para Sharon A. Williams[47], a concepção de um patrimônio cultural da humanidade na esfera do Direito Internacional Positivo tem início durante a Conferência de Dumbarton Oaks, ocasião em que a delegação brasileira propôs emenda à Carta das Nações Unidas reconhecendo a cultura como um "patrimônio comum da humanidade". A emenda não

---
45. *La Protección Internacional del Patrimonio Cultural*. Madri: Instituto Hispano-Luso-Americano de Derecho Internacional (IHLADI), 1991, pp. 32-34. Tradução nossa.
46. Documento SHC/CS/27/8, Unesco, Paris, 31 dez.1968, pp. 5-9. Tradução nossa.
47. *Op. cit.*, p. 53.

foi aprovada, mas serviu de premissa para inclusão, no Tratado Constitutivo da Unesco, de dispositivo que reconhecesse a necessidade da "preservação e proteção do patrimônio universal dos livros, obras de arte e monumentos de interesse histórico ou científico"[48].

A Convenção para a Proteção dos Bens Culturais em Caso de Conflito Armado (Convenção de Haia de 1954), aprovada sob o patrocínio da Unesco e concebida para disciplinar a proteção dos bens culturais em caso de conflito armado, foi a primeira a introduzir no Direito Internacional Positivo a expressão "patrimônio cultural de toda a humanidade"[49]. Segundo Sharon A. Williams[50], antes restrita às concepções teóricas, a expressão "patrimônio cultural da humanidade" passa, a partir de então, a ser corrente em várias convenções, até mesmo naquelas que disciplinam a proteção dos bens culturais *em tempos de paz*.

Assim, a Convenção sobre as Medidas a Serem Adotadas para Proibir e Impedir a Importação, Exportação e Transferência de Propriedade Ilícitas dos Bens Culturais, aprovada sob o patrocínio da Unesco, em Paris, em 1970, proclama que todo Estado tome cada vez mais consciência "de seu dever moral de respeitar seu próprio patrimônio cultural e o de todas as outras nações"[51].

A Convenção Relativa à Proteção do Patrimônio Mundial, Cultural e Natural, de 1972, reforça o conceito de patrimônio cultural da humanidade, ao dispor em seu preâmbulo que "a degradação ou o desaparecimento de um bem do patrimônio cultural e natural constitui um empobrecimento nefasto do patrimônio de todos os povos do mundo", e reconhece que os bens do patrimônio cultural e natural são "elementos do patrimônio mundial da humanidade inteira"[52].

Paralelamente às convenções, algumas recomendações da Unesco[53] fazem referência a um "patrimônio cultural da humanidade".

---

48. Tratado Constitutivo da Unesco, artigo 1°, parágrafo 2°, alínea c.
49. Preâmbulo.
50. *Op. cit.*, p. 53.
51. Preâmbulo.
52. Preâmbulo.
53. Sobre o teor das recomendações da Unesco, cf. *Convenciones y Recomendaciones de la Unesco sobre la Protección del Patrimonio Cultural*. Lima: Unesco e PNUD, 1986. Reimp. 1990, pp. 109-254.

A Recomendação sobre a Proteção, em Âmbito Nacional, do Patrimônio Cultural e Natural, de 1972, dispõe que o patrimônio cultural constitui "um elemento essencial do patrimônio da humanidade"[54], conferindo aos Estados a obrigação de "proteção, conservação e revalorização" dos bens situados em seus territórios em prol da comunidade nacional e internacional[55].

A Recomendação sobre o Intercâmbio Internacional de Bens Culturais, de 1976, ao reconhecer que todos os "bens culturais formam parte do patrimônio cultural comum da humanidade"[56], confere responsabilidades aos Estados similares às da Recomendação sobre a Proteção, em Âmbito Nacional, do Patrimônio Cultural e Natural, de 1972.

A Recomendação sobre a Proteção dos Bens Culturais Móveis, de 1978, dispõe, em seu preâmbulo, que todos os bens culturais móveis que representarem "diferentes culturas formam parte do patrimônio comum da humanidade" e que, consequentemente, cada Estado é "moralmente responsável" pela salvaguarda desses bens diante da comunidade internacional[57].

Em âmbito regional, verifica-se a influência da terminologia "patrimônio cultural da humanidade", a exemplo da Convenção Europeia para a Proteção do Patrimônio Arqueológico, de 1969[58], reformada por outra do mesmo nome, aprovada em 1992, cujo preâmbulo declara que o objetivo do Conselho da Europa é a busca de uma relação mais estreita entre os Estados europeus a fim de "salvaguardar e de promover os ideais e os princípios que são seu patrimônio comum".

Constata-se, em virtude de todas as normas internacionais mencionadas, que não há um conceito uniforme de "patrimônio cultural da humanidade". Todavia, ele abrange a proteção de bens de naturezas diversas, móveis e imóveis, e sob diferentes perspectivas: proteção *em*

---

54. Preâmbulo. Tradução nossa.
55. Recomendação sobre a Proteção, em Âmbito Nacional, do Patrimônio Cultural e Natural, de 1972, artigo 4º. Tradução nossa.
56. Recomendação sobre o Intercâmbio Internacional de Bens Culturais, de 1976, artigo 2º. Tradução nossa.
57. Preâmbulo. Tradução nossa.
58. *European Treaty Series*, nº 66. Tradução nossa.

tempos de paz e de guerra, combate ao tráfico ilícito, manutenção da integridade física dos bens culturais, entre outros.

Essa diversidade não se contrapõe à ideia-matriz que permeia a proteção do patrimônio cultural: os bens culturais pertencentes ao patrimônio cultural da humanidade são fundamentais para a espécie humana, dada a importância que vêm recebendo dos inúmeros instrumentos jurídicos internacionais aqui mencionados. A comunidade internacional é responsável por sua proteção para garantir o acesso desses bens à presente e à futura geração.

Nesse sentido, de grande importância é a Declaração dos Princípios da Cooperação Cultural Internacional, de 1966, adotada pela 14ª Conferência Geral da Unesco, que consagra o dever de proteção internacional, ao reconhecer "que cada cultura tem dignidade e valor que devem ser respeitados e preservados"[59], uma vez que todas "as culturas fazem parte do patrimônio comum da humanidade"[60].

Para Raymond Goy[61], essa declaração atende aos defensores de uma linha internacionalista, favoráveis à ideia de um "patrimônio cultural da humanidade", pois "uma cultura autêntica é aquela que respeita e protege outra".

Adota ainda aquela Declaração assim como a Declaração Universal sobre Diversidade Cultural (2001), uma concepção universal de cultura ao reconhecerem no mesmo grau de importância todas as manifestações culturais do planeta, cabendo à comunidade internacional protegê-las a bem da humanidade inteira – presente e futura –, ultrapassando os interesses adstritos às fronteiras estatais.

De acordo com ambas as declarações, todas as manifestações culturais tuteladas por instrumentos jurídicos internacionais, mesmo quando não adjetivadas com a expressão "patrimônio cultural da humanidade", ou expressão similar, podem ser consideradas partes desse patrimônio.

---

59. Declaração dos Princípios da Cooperação Cultural Internacional, de 1966, artigo 1º. Tradução nossa.
60. Declaração dos Princípios da Cooperação Cultural Internacional, de 1966, artigo 1º, parágrafo 3º. Tradução nossa.
61. "Le Régime International de l'Importation, de L' exportation et du Transfert de Propriété des Biens Culturels". *Annuaire Français de Droit International*, Paris, v. XVI, p. 607, 1970. Tradução nossa.

2

EVOLUÇÃO DA PROTEÇÃO INTERNACIONAL DOS BENS CULTURAIS IMÓVEIS

"Profeta Joel" de Aleijadinho. Santuário do Bom Jesus de Matosinhos, Congonhas, Minas Gerais.

Ao longo do século XX, a proteção internacional dos bens culturais imóveis ocorre em três níveis: direito internacional interestatal – caracterizado pelas grandes conferências diplomáticas convocadas para o debate de problemas globais, até mesmo para a adoção de convenções multilaterais; organizações não governamentais – realização de congressos internacionais de arquitetos e restauradores que adotam diretrizes relacionadas à proteção dos bens culturais; direito das organizações internacionais – instituição de convenções internacionais, elaboradas e adotadas segundo procedimentos estabelecidos pelas organizações internacionais.

DIREITO INTERNACIONAL INTERESTATAL

As convenções de Haia de 1899 e 1907[1]

As convenções de Haia são as primeiras convenções multilaterais codificadoras dos costumes de guerra. Nas palavras de Kifle Jote[2], "são os primeiros grandes documentos globais adotados para regular a conduta dos beligerantes".

Segundo Alfred Verdross, as convenções de Haia visavam "humanizar"[3] a guerra mediante normas que prescreviam "meios bélicos proibidos",

---

1. Ao todo, são três convenções em 1899 e treze em 1907.
2. *International Legal Protection of Cultural Heritage*. Estocolmo: Juristförlaget, 1994, p.49. Tradução nossa.
3. *Derecho Internacional Público*. Trad. espanhola de Antonio Truyol y Serra. Madrid: Aguilar, 1967, p. 361. Tradução nossa.

restringindo o emprego de certas armas, ataques a pessoas e bens, e condenando certas condutas denominadas "ardis de guerra e perfídia"[4].

Assim, o artigo 27 do Anexo da Convenção Relativa às Leis e Usos da Guerra Terrestre (Convenção IV), de 1907, dispunha que "nos sítios e bombardeios, todas as medidas necessárias devem ser tomadas para poupar, tanto quanto possível, os edifícios consagrados aos cultos, às artes, às ciências e à beneficência, os monumentos históricos, os hospitais e os locais de ajuntamento de enfermos e de feridos, salvo o caso em que estejam empregados ao mesmo tempo para fins militares".

A mesma categoria de bens fora objeto de proteção pela Convenção Relativa ao Bombardeamento por Forças Navais em Tempo de Guerra (Convenção IX), de 1907[5], e pela Convenção Relativa às Leis e Usos da Guerra Terrestre, de 1899[6].

Em relação às convenções de Haia, Stanislaw E. Nahlik[7] observara que a terminologia "bens culturais" ainda não havia sido criada, embora três critérios possam ser utilizados para identificá-los como tais:

- os objetos devem ser protegidos "como tais", segundo suas "características intrínsecas": os monumentos históricos, as obras de arte e da ciência;
- os objetos são protegidos em razão de suas finalidades: os edifícios consagrados aos cultos, às artes, às ciências;
- os objetos denominados, segundo o autor, bens comunais: "estabelecimentos consagrados aos cultos, às artes e às ciências".

A proteção disciplinada pela Convenção IV não era absoluta: os bens teriam sua imunidade suspensa se sua utilização se destinasse a fins militares. Os sitiados deveriam proteger seus bens, "por meio de sinais visíveis especiais", desde que "antecipadamente notificados ao sitiante"[8].

---

4. *Ibid.*, pp. 379-381. Tradução nossa.
5. Convenção Relativa ao Bombardeamento por Forças Navais em Tempo de Guerra, convenção IX, artigo 5º.
6. Convenção Relativa às Leis e Usos da Guerra Terrestre, 1899, convenção I, artigo 56.
7. "La Protection Internationale des Biens Culturels en Cas de Conflit Armé". *Recueil des Cours*. Académie de Droit International de La Haye, Haia, v. 120 (I), pp. 93-94, 1967. Tradução nossa.
8. Convenção IV de Haia, de 1907, artigo 27.

Nesse aspecto, a Convenção Relativa ao Bombardeamento por Forças Navais em Tempo de Guerra (Convenção IX), de 1907, era mais precisa, determinando que os bens protegidos devessem ser identificados por "grandes peças de pano retangulares rígidas, divididas por uma diagonal em dois triângulos de cor: negro no alto e branco embaixo".

Embora o real objetivo dessas convenções fosse a proteção da vida humana, das populações civis e suas propriedades, Kifle Jote[9] assinala que sua contribuição para a proteção dos bens culturais foi decisiva, particularmente *em tempos de guerra*.

As convenções de Haia disciplinaram a proteção dos bens culturais em hipóteses de guerra, abstendo-se de dispor sobre outras hipóteses de degradação, como o crescimento desordenado das cidades ou as influências climáticas.

A Convenção de Genebra de 1949 e os Protocolos Adicionais I e II de 1977

A Convenção de Genebra Relativa à Proteção dos Civis em Tempo de Guerra (Convenção IV), de 1949, proibia o "Estado ocupante de destruir bens móveis e imóveis pertencentes individual ou coletivamente a pessoas privadas, ao Estado, ou às coletividades públicas, às organizações sociais ou cooperativas", salvo quando absolutamente necessárias tais destruições em razão de operações militares[10]. O Protocolo Adicional I de 1977, mais específico, faz menção ao termo "bens culturais": monumentos históricos, obras de arte ou templos religiosos que "constituem a herança espiritual ou cultural dos povos não poderão ser objeto de qualquer ato de hostilidade, nem usados em apoio do esforço militar"[11]. Regra similar é encontrada no Protocolo Adicional II relativo à proteção das vítimas em conflitos não internacionais[12].

---

9. *Op. cit.*, p. 51.
10. Convenção de Genebra Relativa à Proteção dos Civis em Tempo de Guerra (Convenção IV), artigo 53.
11. Convenção de Genebra Relativa à Proteção dos Civis em Tempo de Guerra, Protocolo Adicional I de 1977, artigo 53.
12. Convenção de Genebra Relativa à Proteção dos Civis em Tempo de Guerra, Protocolo Adicional II de 1977, art. 16.

Organizações não governamentais

Carta de Atenas (1933)[13]

Fruto do movimento moderno que reinava em várias manifestações humanas, sobretudo nas artes plásticas, na literatura, na música e na arquitetura, realiza-se, em 1928, o primeiro de uma série de Congressos Internacionais de Arquitetura Moderna (Ciam)[14].

Instituídos sob a liderança de Le Cobusier, um dos maiores expoentes do Modernismo na arquitetura, os objetivos desses congressos eram "reunir e sistematizar"[15] pesquisas realizadas por arquitetos em seus países, sendo os pontos convergentes temas de exposições internacionais.

Em 1933 realiza-se o quarto encontro do Ciam na cidade de Atenas. O tema do congresso era a "cidade funcional", que propunha uma "nova maneira de viver"[16] com base em uma ocupação racional do solo urbano. Os princípios adotados naquele congresso foram reunidos em um documento denominado Carta de Atenas, cuja meta era propor "...uma cidade que funcionasse adequadamente para o conjunto de sua população, distribuindo entre todos as possibilidades de bem-estar decorrentes dos avanços técnicos..."[17].

A "cidade funcional", idealizada na Carta, deveria ser organizada para atender a quatro necessidades humanas básicas: habitação (itens 9 a 29), lazer (itens 30 a 40), trabalho (itens 41 a 50) e circulação (itens 51 a 64). Por sugestão da delegação italiana, introduziu-se uma seção destinada ao "patrimônio histórico" das cidades (itens 65 a 70)[18].

---

13. As referências à Carta de Atenas foram extraídas da obra *A Carta de Atenas*. Trad. Rebeca Sherer. São Paulo: Hucitec/Edusp, 1993 (Estudos Urbanos), não paginada.
14. *Ibid.*
15. *Ibid.*
16. *Ibid.*
17. *Ibid.*
18. A proteção do patrimônio histórico não era objeto de preocupação entre os idealizadores da Carta de Atenas. Aliás, como bem anotou o professor Murilo Marx, da FAU-USP, a seção destinada ao patrimônio histórico estava ali "quase à guisa de apêndice". Cf. "Uma Surpreendente Lacuna". *Revista Comemorativa da Carta de Veneza, 1964-1989*. Comitê Brasileiro do ICOMOS, 1990, p. 36.

A proteção ao patrimônio histórico estava consagrada na medida em que os valores arquitetônicos (edifícios isolados ou conjuntos urbanos) (item 65) deveriam ser "...salvaguardados se constituírem expressão de uma cultura anterior" (item 66)[19].

A Carta de Atenas é um marco importante para a proteção dos bens culturais imóveis, em virtude do seu caráter universal, constituindo-se importante diretriz seguida pelos profissionais ligados às políticas urbanas.

Carta de Veneza (1964)

Em 1964, durante o II Congresso Internacional de Arquitetos e Técnicos de Monumentos Históricos, realizado na cidade de Veneza, é aprovada a Carta de Veneza[20]. A importância dessa Carta, para Gian Carlo Gasperini[21], está na reunião dos "princípios de uma ampla compreensão dos problemas da conservação e da restauração dos monumentos e do ambiente que os envolve".

A Carta de Veneza nasceu em razão da crescente preocupação com a deterioração dos monumentos históricos, sobretudo daqueles destruídos durante a Segunda Guerra Mundial. Ela retomou a preocupação da Carta de Atenas em relação à proteção do patrimônio histórico. Murilo Marx[22] observa que ela ampliou e aprofundou os fundamentos da proteção ao conceituar a "conservação, a restauração e a documentação". A Carta de Veneza foi concebida para tratar exclusivamente da proteção dos monumentos.

A primeira contribuição dada pela Carta é a afirmação de um interesse universal pela conservação dos monumentos históricos. O preâmbulo da

---

19. *Ibid.*
20. O Congresso foi realizado entre os dias 25 e 31 de maio de 1964. A Carta foi aprovada em 31 de maio de 1964.
21. "Monumentos: Temas de Debate em Veneza". *Revista Arquitetura*. São Paulo: FAU-USP, n. 27, set. 1964, p. 17.
22. "Uma Surpreendente Lacuna". *Revista Comemorativa da Carta de Veneza, 1964-1989*. Comitê Brasileiro do ICOMOS, 1990, p. 36.

Carta de Veneza evoca a responsabilidade da humanidade em relação à salvaguarda das "obras monumentais" que integram seu "patrimônio comum" para as "futuras gerações"[23].

A noção de monumento concebida pela Carta compreende a "criação arquitetônica isolada"[24], bem como o "ambiente no qual ela se insere"[25]. Assim, o monumento "é inseparável do meio no qual ele se situa e da história da qual é o testemunho. Reconhece-se, então, tanto o valor monumental dos grandes conjuntos arquitetônicos quanto o das obras modestas que, com o tempo, adquiriram uma significação cultural e humana"[26].

Esse conceito pôs fim a uma concepção de "musealização" do monumento, sobretudo na área urbana, deixando de ser apenas fonte de contemplação para adquirir uma "função útil à sociedade"[27]. Portanto, segundo os princípios da Carta de Veneza, conjuntos urbanos históricos podem ser adaptados "às necessidades modernas"[28]. Trata-se da noção de *revitalização* do monumento, que pode ser reutilizado a despeito de sua função original.

Durante esse Congresso, foi anunciado, para o ano seguinte, um encontro internacional para criar o Conselho Internacional de Monumentos e Lugares de Interesse Artístico e Histórico (ICOMOS), cujo objetivo seria operacionalizar a aplicação dos princípios adotados pela Carta de Veneza.

Direito das organizações internacionais

A União Pan-Americana

Instituída em 1890 por resoluções aprovadas pela I Conferência Internacional Americana, realizada em Washington, entre 1889 e 1890, a de-

---
23. Gian Carlo Gasperini, op. cit., p. 21.
24. *Ibid.*
25. *Ibid.*
26. *Ibid.*
27. *Ibid.*
28. *Ibid.*, p. 18.

nominação original da União Pan-Americana era Sociedade Internacional das Repúblicas Americanas[29]. A contribuição da União Pan-Americana foi a preparação de dois projetos de convenções relacionadas à proteção dos bens culturais: um tratado sobre a proteção de instituições científicas e artísticas e monumentos históricos e outro sobre a proteção de bens móveis de valor histórico contra o tráfico ilícito[30].

Tratado para a Proteção das Instituições Científicas e Artísticas e Monumentos Históricos, ou Pacto Roerich (1935)[31]

O Pacto Roerich recebeu essa denominação em homenagem ao professor Nicholas Roerich, de nacionalidade russa, que idealizou o projeto do Tratado. O Pacto Roerich é o primeiro tratado multilateral adotado para tratar exclusivamente da proteção dos bens culturais.

O caráter universal do tratado era evidente, pois, embora elaborado sob o patrocínio de uma organização internacional de caráter regional, suas disposições não faziam quaisquer restrições às adesões de Estados não membros da União Pan-Americana[32].

O Pacto Roerich disciplinava a proteção de bens imóveis em tempos de guerra e de paz. Seu artigo 1º proclamava "o respeito e proteção aos monumentos históricos, museus e instituições científicas, artísticas, educativas e culturais, tanto em tempo de paz como de guerra".

---

29. *Boletim da União Pan-Americana*. Edição brasileira, v. XXXVII, n. 7, p. 11, jul. 1935.
30. Oriol Casanovas y La Rosa. *La Protección Internacional del Patrimonio Cultural*. Madri: Instituto Hispano-Luso-Americano de Derecho Internacional (IHLADI), 1991, p. 8.
31. Segundo Kifle Jote, até janeiro de 1990, Brasil, Chile, Colômbia, Cuba, República Dominicana, El Salvador, Guatemala, México, Estados Unidos e Venezuela eram os Estados-partes da convenção. *Op. cit.*, p. 52.
32. As referências aos dispositivos do tratado foram extraídas do seu texto publicado no *Boletim da União Pan-Americana*. Edição brasileira, v. XXXVII, n. 7, pp. 427-429, jul. 1935.
    O artigo 6º do Pacto Roerich dispõe: "Os Estados que não assignarem este tratado em sua data poderão assignalo ou acceder a elle em qualquer tempo". Em relação a esse dispositivo, a comissão especial, encarregada de elaborar o tratado, expôs, em seu segundo relatório, que omitiu deliberadamente a expressão "membros da União Pan-Americana" no intuito de deixá-lo em aberto à assinatura e adesão por outros Estados. Cf. *Boletim da União Pan-Americana*. Edição brasileira, v. XXXVII, n. 7, p. 426, jul. 1935.

A proteção *em tempo de guerra* recebeu maior atenção no Pacto Roerich. Reconhecia o status de neutralidade, em casos de guerra, aos monumentos históricos, museus e instituições dedicadas à ciência, à arte, à educação e à conservação dos elementos culturais"[33] que constassem de uma lista elaborada pelos governos signatários e comunicada à União Pan-Americana. Assim como suas antecessoras, as convenções de Haia de 1899 e 1907, o Pacto reconhecia a neutralidade dos monumentos e instituições desde que não utilizados para fins militares[34].

Os bens imóveis protegidos eram identificados por uma "bandeira distintiva", de "círculo vermelho, com uma tripla esfera vermelha dentro do círculo, sobre um fundo branco"[35].

A proteção *em tempos de paz* não foi disciplinada pelo Tratado, sugerindo, portanto, que nesse campo a tarefa era exclusiva dos Estados signatários.

Organização das Nações Unidas para a Educação, a Ciência e a Cultura (Unesco)

A Unesco foi criada em 1945 durante a Conferência de Londres[36]. Anos antes, a Conferência dos Ministros Aliados da Educação[37] esboçara seus objetivos, com base na proposta de uma organização internacional que viesse a substituir a Comissão Internacional de Cooperação Intelectual, organismo vinculado à Liga das Nações.

A Unesco é uma organização internacional de caráter governamental vinculada à Organização das Nações Unidas (ONU), especializada em promover uma política de cooperação cultural e educacional[38].

---

33. Pacto Roerich, artigo 1º.
34. *Ibid.*, artigo 5º.
35. *Ibid.*, artigo 3º.
36. Sobre a criação da Unesco, cf. Fernando Valderrama, *Historia de la Unesco*. Paris: Unesco, 1991, pp. 21-33; e revista *O Correio da Unesco* (edição brasileira).(I). Rio de Janeiro: Fundação Getulio Vargas, n. 12, ano 13, pp. 1-33, dez. 1985.
37. Várias foram as reuniões da Conferência dos Ministros Aliados da Educação, ocorridas entre outubro de 1942 e meados de 1945. Cf. Fernando Valderrama, *op. cit.*, pp. 21-23.
38. Carta das Nações Unidas, artigos 55 e 57. Os órgãos da Unesco são: Conferência Geral, Conselho Executivo e uma secretaria. Cf. artigos 3º a 6º do Tratado de Constituição da Unesco.

As principais decisões são tomadas na Conferência Geral, constituída pelos representantes dos Estados-membros da Organização, que se reúne a cada dois anos.

A Unesco e a proteção dos bens culturais

A proteção internacional dos bens culturais imóveis cresce amplamente a partir das décadas de 1950 e 1960, em razão das ações empreendidas pela Unesco, cujo Tratado de Constituição confere-lhe o objetivo de zelar "pela conservação e proteção do patrimônio universal de livros, obras de arte e monumentos de interesse histórico ou científico" e recomendar às "nações interessadas as convenções internacionais que sejam necessárias para tal fim"[39].

O campo de atuação da Unesco em relação à proteção dos bens culturais manifesta-se em duas frentes: a promoção na comunidade internacional para a adoção de convenções e recomendações internacionais e a organização de movimentos de solidariedade internacional, especialmente as campanhas internacionais para a salvaguarda dos monumentos, a exemplo dos templos da Núbia (1960-1980) e das cidades de Veneza e Florença (1966).

Assim, tem início, na ordem jurídica internacional, *a adoção de instrumentos jurídicos instituídos exclusivamente para a proteção dos bens culturais*. Até a fundação da Unesco, a comunidade internacional era carente de instrumentos protetores dos bens culturais: à exceção do Pacto Roerich (1935), não há notícia de convenções internacionais que tratassem exclusivamente da proteção dos bens culturais.

Outra contribuição dada pela Unesco é a ampliação da tutela internacional dos bens culturais, pois as medidas jurídicas adotadas anteriormente tinham como objeto a proteção dos bens culturais imóveis apenas *em tempos de guerra*. A proteção internacional *em tempos de paz*,

---

39. Tratado de Constituição, artigo 1º, parágrafo 2º, alínea "c".

prevista pelo Pacto Roerich, resumia-se ao campo programático, isto é, não havia previsão dos meios a serem empreendidos para assegurar uma proteção daquela natureza.

A compreensão das ações protetoras empreendidas pela Unesco é fundamental para apurar em que condições nasceu a Convenção Relativa à Proteção do Patrimônio Mundial, Cultural e Natural, de 1972.

As convenções

As convenções elaboradas sob o patrocínio da Unesco são típicos tratados multilaterais. Inserem-se entre as fontes formais de Direito Internacional Público, conforme o artigo 38 do Estatuto da Corte Internacional de Justiça.

As condições de elaboração e adoção são disciplinadas por um procedimento estabelecido pela Unesco. O Tratado de Constituição exige, para aprovação das convenções, o *quorum* de dois terços e a necessidade de serem ratificadas pelos Estados signatários[40]. Outras condições decorrem do regulamento sobre as recomendações aos Estados membros e as convenções internacionais previstas no parágrafo 4º do artigo 4º da Constituição[41], adotado em sua quinta sessão.

As convenções impõem obrigações recíprocas apenas entre os Estados contratantes, e suas disposições são rígidas: os Estados não podem dispor de forma diversa ao preceituado em suas normas. As convenções internacionais, ensina Robert Brichet[42], impõem aos Estados que as ratificam as obrigações legais de executarem suas disposições em seus estritos e idênticos termos.

---

40. *Ibid.*, artigo 4º, parágrafo 4º.
41. *Textos Fundamentales – Manual de la Conferencia General y el Consejo Ejecutivo*. Paris: Unesco, 1994. pp. 119-123.
42. Documento SHC/CS/27/5. Paris: Unesco, 26 de janeiro de 1968, p. 18.

As convenções adotadas sob o patrocínio da Unesco são as seguintes:

- *Convenção para a Proteção dos Bens Culturais em Caso de Conflito Armado — Convenção de Haia de 1954[43] e os seus Protocolos I (1954) e II (1999)*

Inspirada nas suas antecessoras mais importantes — as convenções de Haia, de 1899 e 1907, e o Pacto Roerich, de 1935 —, a Convenção de Haia de 1954 foi adotada exclusivamente para proteger o patrimônio cultural em hipóteses de conflito armado. É mais abrangente em razão do número maior de bens tutelados.

A Convenção de Haia de 1954 traz em seu bojo algumas situações inéditas, não acolhidas anteriormente em outras convenções internacionais. Adota a expressão "bens culturais", de suma importância, pois, segundo Stanislaw E. Nahlik[44], serve "de denominador comum sobre tudo aquilo que deve ser protegido" e introduz no Direito Positivo o conceito de patrimônio cultural da humanidade: os danos causados aos bens culturais pertencentes "a qualquer povo constituem um prejuízo ao patrimônio cultural de toda a humanidade, dado que cada povo traz a sua própria contribuição à cultura mundial"[45].

A Convenção protege os bens móveis e imóveis. Os bens imóveis subdividem-se em três categorias:

— os bens imóveis "que tenham uma grande importância para o patrimônio cultural dos povos"[46];

— os edifícios onde se conservam ou se expõem os bens culturais móveis (todos aqueles definidos na alínea "a" do artigo 1º), assim como os abrigos destinados à proteção dos bens culturais móveis (aqueles também arrolados na alínea "a" do artigo 1º)[47];

---

43. Aprovada no Brasil pelo Decreto Legislativo número 32, de 14 de agosto de 1956.
44. *Op. cit.*, p. 121. Tradução nossa.
45. Preâmbulo.
46. Convenção de Haia de 1954, artigo 1º, alínea "a".
47. *Ibid.*, alínea "b".

– os centros que contenham um número considerável de bens culturais[48], denominados "centros que contêm monumentos"[49], ou, na linha de Stanislaw E. Nahlik[50], os "bairros históricos" de grandes cidades, ou "cidades históricas inteiras", tais como Florença, Veneza, Gand, Cambridge e Carcassone.

A Convenção de Haia de 1954 prevê dois âmbitos de proteção:
– proteção geral a todos os bens *acima* discriminados[51];
– proteção especial que deverá ser "concedida aos bens culturais mediante sua inscrição no Registro Internacional de Bens Culturais sob Proteção Especial"[52]. Gozam dessa proteção bens destinados a servir de abrigo a determinados bens culturais móveis, centros que contêm monumentos e outros bens imóveis de "grande importância"[53], desde que localizados a uma distância apropriada de um grande centro industrial ou de qualquer outro objetivo militar importante[54], ou que não sejam utilizados para fins militares[55]. Essa proteção confere a tais bens imunidades quase absolutas[56].

- *Convenção sobre as Medidas a Serem Adotadas para Proibir e Impedir a Importação, Exportação e Transferência de Propriedade Ilícitas dos Bens Culturais – Convenção de Paris, 1970*[57] *– Convenção da Unesco, de 1970*
- *Convenção Relativa à Proteção do Patrimônio Mundial, Cultural e Natural, Paris, 1972*[58] *– Convenção da Unesco, de 1972*

---

48. *Ibid.*, alínea "c".
49. *Ibid.*
50. *Op. cit.*, p. 122. Tradução nossa.
51. Convenção de Haia de 1954, artigo 2º.
52. *Ibid.*, artigo 8º, parágrafo 6º.
53. *Ibid.*, parágrafo 1º.
54. *Ibid.*, alínea "a".
55. *Ibid.*, alínea "b".
56. Convenção de Haia de 1954, artigo 9º.
57. Aprovada no Brasil pelo Decreto Legislativo número 71, de 28 de novembro de 1972. Promulgada pelo Decreto nº 72.312, de 31 de maio de 1973. Essa convenção não está ligada diretamente ao tema aqui discorrido: evolução da proteção internacional dos bens culturais imóveis. Assim, dispensamos comentários a seu respeito, mas fazemos sua menção para uma visão completa do campo de atuação da Unesco.
58. Aprovada no Brasil pelo Decreto Legislativo nº 71, de 30 de junho de 1977, com reserva ao parágrafo 1º do artigo 16. Promulgada pelo Decreto nº 80.978, de 12 de dezembro de 1977.

Denominada "Cruz Vermelha da Proteção dos Monumentos, Conjuntos e Lugares de Interesse Universal"[59], visa proteger o patrimônio cultural e natural da humanidade em face da degradação ambiental e da evolução da vida social e econômica, que impõe ritmos acelerados de alteração e destruição da herança deixada pelas antigas gerações na sociedade moderna. Disciplina a proteção dos bens imóveis *em tempos de paz*.

• *Convenção Relativa à Proteção do Patrimônio Cultural Subaquático – Convenção da Unesco, de 2001*

Disciplina a proteção de bens culturais encontrados na Área que pertence ao patrimônio comum da humanidade e nos mares territoriais. O escopo da proteção é a proibição do saque. Esta Convenção não foi inserida no ordenamento jurídico brasileiro.

As recomendações

As recomendações, ao lado das convenções, são instrumentos de cooperação cultural promovidos pela Unesco[60]. As recomendações, segundo Michel Virally[61], revelam uma direção política internacional que decorre do próprio Tratado de Constituição da Organização.

Hanna Saba[62] observa que as recomendações são concebidas para influenciar o "desenvolvimento de legislações e práticas nacionais" em função de uma linha de conduta aceita internacionalmente. Entretanto, por tratarem de temas complexos e múltiplos, as recomendações conferem aos Estados, nas palavras de Virally[63], amplos "poderes discricio-

---

59. Documento 16c/19, Anexo. Unesco, Paris, julho de 1970, p. 5. Tradução nossa.
60. Tratado Constitutivo da Unesco, art. 1º, parágrafo 2º, alínea "c".
61. "La Valeur Juridique des Recommandations des Organisations Internationales". *Annuaire Français de Droit International*, Paris, v. II, p. 80, 1956. Tradução nossa.
62. "L'activité Quasi-législative des Institutions Spécialisées des Nations Unies". *Recueil des Cours*. Académie de Droit International de La Haye, Haia, v. 111 (I), p. 662, 1964. Tradução nossa.
63. *Op. cit.*, p. 80. Tradução nossa.

nários", ao permitirem que, de acordo com suas peculiaridades, adotem os meios mais adequados para solucioná-los.

Os meios de solução apontados pelas recomendações manifestam-se em campos variados: medidas administrativas, técnicas, científicas, jurídicas, entre outras.

O *quorum* exigido para aprovação de uma recomendação é de maioria simples entre os Estados presentes à Conferência Geral da Unesco[64].

As recomendações, diversamente das convenções, não preveem hipótese de ratificação ou aceitação, pois, segundo Hanna Saba[65], suas normas impõem-se em um "plano moral". Entretanto, não estão absolutamente desprovidas de força obrigatória, uma vez que o Tratado de Constituição da Unesco dispõe que os Estados membros devem submetê-las às suas autoridades competentes no prazo de um ano a contar do encerramento da conferência geral que as aprovou[66].

Hanna Saba[67] menciona alguns pontos de identidade entre as recomendações e as convenções: ambas são redigidas de forma semelhante, divididas em preâmbulo, seções e títulos próprios para cada matéria a ser tratada. Todavia, as convenções contêm dispositivos de caráter imperativo, ao passo que as recomendações apresentam "aconselhamentos".

A importância das recomendações também se deve ao fato de constituírem-se nos primeiros meios jurídicos de caráter universal adotados na história da proteção internacional dos bens culturais imóveis *em tempos de paz*. Elas atestam o progressivo interesse da comunidade internacional em proteger o seu patrimônio cultural.

As recomendações[68] com objetivos similares aos da Convenção Relativa à Proteção do Patrimônio Mundial, Cultural e Natural, de 1972, são as seguintes:

---

64. Tratado Constitutivo da Unesco, artigo 4º, parágrafo 4º.
65. *Op. cit.*, p. 662. Tradução nossa.
66. Tratado Constitutivo da Unesco, artigo 4º, parágrafo 4º.
67. *Op. cit.*, p. 665. Tradução nossa.
68. As referências aos dispositivos das recomendações da Unesco foram extraídas da obra *Convenciones y Recomendaciones de la Unesco sobre la Protección del Patrimonio Cultural*. Lima: Unesco e PNUD, 1986, pp. 109-254. Tradução nossa.

- *Recomendação que define os princípios internacionais que deverão aplicar-se às escavações arqueológicas – Conferência Geral, Nova Délhi, 1956*

Recomenda a proteção dos vestígios arqueológicos cuja conservação demande um interesse público do ponto de vista histórico ou artístico[69]. Entre os princípios gerais de proteção, na recomendação consta a previsão dos Estados membros adotarem um regime jurídico que defina o subsolo arqueológico[70].

Importante notar sua preocupação com o comércio de antiguidades, ao dispor que os Estados membros deverão considerar a conveniência de regulamentá-lo para "evitar a saída clandestina do material arqueológico"[71].

- *Recomendação relativa à proteção da beleza e do caráter dos lugares e paisagens – Conferência Geral, Paris, 1962*

Recomenda a conservação da "beleza e do caráter dos lugares e paisagens" e a restituição "do aspecto dos lugares e paisagens naturais, rurais ou urbanos, devido à natureza ou à ação do homem", que apresentem "um interesse cultural ou estético o que constituem meios naturais característicos"[72]. As disposições dessa recomendação aplicam-se subsidiariamente aos meios de proteção à natureza[73].

- *Recomendação sobre medidas encaminhadas para proibir e impedir a exportação, importação e transferência da propriedade ilícitas dos bens culturais – Conferência Geral, Paris, 1968*

A recomendação define os bens culturais móveis e imóveis de grande importância para "o patrimônio cultural de cada país" que devem ser

---

69. Artigo 2º.
70. Artigo 4º, alínea "e".
71. Artigo 27.
72. Artigo 1º.
73. Artigo 2º.

protegidos: "obras de arte e arquitetura, manuscritos, livros e outros bens de interesse artístico, histórico ou arqueológico, documentos etnológicos, espécimes-tipos da flora e da fauna, coleções científicas, coleções importantes de livros e arquivos, incluindo os arquivos musicais"[74].

As medidas a serem tomadas pelos Estados membros são várias, destacando-se: o inventário dos bens culturais, a instituição de um serviço de proteção aos bens culturais, a promoção de acordos bilaterais e multilaterais e a informação ao público em caso de desaparecimento do bem[75].

- *Recomendação concernente à conservação dos bens culturais que a execução de obras públicas ou privadas pode pôr em perigo – Conferência Geral, Paris, 1968*

Cuida da proteção dos "sítios arqueológicos, históricos ou científicos, os edifícios e outras construções de valor histórico, científico, artístico ou arquitetônico, religiosos ou seculares, até mesmo os conjuntos de edifícios tradicionais, os bairros tradicionais, os bairros históricos de zonas urbanas e rurais urbanizadas e os vestígios de culturas pretéritas que tenham valor etnológico"[76].

No campo legislativo, orienta os Estados a manter medidas legislativas, nos níveis nacional e local, necessárias para conservar ou salvar bens culturais ameaçados por obras públicas ou privadas[77].

- *Recomendação sobre a proteção, em âmbito nacional, do patrimônio cultural e natural – Conferência Geral, Paris, 1972*

Essa recomendação tem por escopo orientar os Estados a tomar medidas necessárias para a proteção do patrimônio cultural e natural: os monumentos, os conjuntos, os lugares notáveis, os monumentos natu-

---

74. Artigo 1º, parágrafo 1º.
75. Artigo 1º, alínea "a".
76. Artigo 14.
77. Título III.

rais, as formações geológicas e fisiográficas, os lugares notáveis e as zonas naturais. As medidas de caráter jurídico são abordadas no capítulo referente à proteção nacional dos bens culturais[78].

- *Recomendação relativa à salvaguarda dos conjuntos históricos e sua função na vida contemporânea – Conferência Geral, Nairóbi, 1976*

Recomenda a proteção de todo o "conjunto histórico ou tradicional", definido como todo grupo de "construções e de espaços", até mesmo os lugares "arqueológicos e paleontológicos" que constituam um assentamento humano nos meios urbano e rural[79]. Tais conjuntos assumem várias formas, distinguindo-se especialmente: os "lugares pré-históricos, as cidades históricas, os antigos bairros urbanos, as aldeias e os casarios, assim como os conjuntos monumentais homogêneos"[80].

As campanhas internacionais promovidas pela Unesco

Em relação a todas as ações da Unesco, sem dúvida, as campanhas internacionais para a salvaguarda dos monumentos foram as que mais contribuíram para que aflorasse a necessidade de adoção de uma convenção que protegesse os bens culturais imóveis *em tempos de paz*. Exigiram participação da comunidade internacional, advertiram a opinião pública dos perigos que afetam seu patrimônio, demonstraram as falhas do sistema internacional de proteção então vigente, a exemplo da falta de recursos financeiros, e serviram, com base nas experiências de salvaguarda dos sítios e monumentos, de subsídio para estruturação do sistema de assistência internacional adotado pela Convenção Relativa à Proteção do Patrimônio Mundial, Cultural e Natural, de 1972.

Duas campanhas internacionais devem ser destacadas pela magnitude de mobilização da comunidade internacional e pela importância universal dos bens envolvidos:

---

78. Ver capítulo V.
79. Artigo 1º, alínea "a".
80. *Ibid.*

- **Os templos da Núbia (1960-1980)[81]**

Os templos da Núbia são um conjunto de construções arquitetônicas que datam do período do Antigo Egito, especificamente por volta de 3000 a.C. Situam-se entre o sul do Egito e o norte do Sudão, ao longo do rio Nilo.

No final do século passado, o governo egípcio resolveu construir a represa de Assuã (1898-1902) para melhoria dos serviços de irrigação da região. Em duas outras ocasiões (1907-1912 e 1929-1934) a represa foi ampliada, provocando o deslocamento da cidade e aldeias da Núbia para regiões mais altas[82]. Essas construções começaram a se refletir na vida dos templos da Núbia. Após a última ampliação da barragem, "muitos templos foram consolidados para resistir aos movimentos das águas"[83].

A partir da década de 1950, o governo egípcio decidiu construir a Grande Represa, para "aumentar a superfície das terras cultiváveis e a produção de energia elétrica"[84], originando a formação de um "imenso lago de 183 metros acima do nível do mar" que cobriria todos os templos[85].

Essa situação levou a Unesco, em 1960, a pedido dos governos do Egito e do Sudão, a lançar uma de suas campanhas mais importantes: a Campanha Internacional para a Salvaguarda dos Templos da Núbia, que contou com a participação ativa da comunidade internacional, com atuação em quatro frentes.

A primeira, para salvação dos vestígios arqueológicos que envolviam praticamente todas as etapas de nossa civilização: "vestígios de habitações, necrópoles, construções isoladas, templos, capelas, igre-

---

81. A respeito da campanha internacional dos templos da Núbia, cf. *O Correio da Unesco* (edição brasileira). Rio de Janeiro: Fundação Getulio Vargas, ns. 4-5, pp. 3-70, abr.-maio de 1980; e *La Protection du Patrimoine Culturel de l'Humanité: Sites et Monuments*. Paris: Unesco, 1969, pp. 41-53.
82. Chehata Adam Mohamed. "Vitória na Núbia: Egito". *O Correio da Unesco* (edição brasileira). Rio de Janeiro: Fundação Getúlio Vargas, abr.-maio 1980, ns. 4-5, p. 05.
83. *Ibid.*
84. *Ibid.*
85. *Ibid.* p. 7.

jas, pinturas, estátuas, murais, inscrições, estelas e outros documentos arqueológicos"[86].

A segunda, para proteção dos monumentos, mediante o seu deslocamento para outros locais que não seriam atingidos pelas águas. No total, foram protegidos vinte e dois monumentos[87].

A terceira, para salvaguarda dos templos de Abu Simbel, que receberam cuidados específicos em relação aos demais. O grande templo media trinta e três metros de altura, trinta e oito de largura e sessenta e três de profundidade, apresentando em sua fachada quatro colossais estátuas de vinte metros cada que reproduziam os traços do faraó Ramsés II[88]. O pequeno templo de Abu Simbel, quase ao lado do maior, dedicado à esposa de Ramsés II, Nefertari, estava ornado com seis estátuas de dez metros de altura cada[89]. A ação para a salvaguarda dos templos de Abu Simbel consistiu em recortá-los em blocos – mil e trinta e seis ao todo – para serem reconstruídos no alto da montanha, acima do local original, "na mesma orientação, de modo que recebessem a iluminação do sol como antes"[90]. Acima de cada templo, foram construídas cúpulas gigantescas para suportar rochas e areia, reproduzindo a antiga montanha onde estavam esculpidos os templos.

Os trabalhos foram concluídos em setembro de 1968. Em virtude da magnitude do trabalho e dos recursos despendidos, Abu Simbel representou o apogeu da campanha dos templos da Núbia. O custo total da operação exigiu aproximadamente quarenta e dois milhões de dólares, metade financiada pelo governo egípcio e outra metade por quarenta e oito países[91].

---

86. *La Protection du Patrimoine Culturel de l'Humanité: Sites et Monuments*, Paris: Unesco, 1969, p. 43. Tradução nossa.
87. Os monumentos salvos são os seguintes: File, Debod, Kertassi, Tafa, Beit el-Uali, Calabasha, Dendur, Derf-Hussein, Daca, Naharraga, Uadi es-Sebua, Amada, Derr, Elesia, Aniba, Ibrim, Abu Simbel, Abu Oda, Debeira, Buhen, Semna-Oeste e Semna Leste. Cf. Adam Chehata Mohamed. "Vitória na Núbia: Egito". *O Correio da Unesco* (edição brasileira). Rio de Janeiro: Fundação Getúlio Vargas, ns. 4-5, p. 14, abr.-maio 1980.
88. *La Protection du Patrimoine Culturel de l'Humanité: Sites et Monuments*, Paris: Unesco, 1969, p. 48.
89. *Ibid.*
90. "Vitória na Núbia: Egito". *Op.cit.*, p. 10.
91. *Ibid.*

A quarta, para salvaguarda dos templos de File, situados na ilha do mesmo nome, desmontados e reconstruídos na ilha vizinha de Agilkia. A execução do projeto teve início em 1972 e terminou em agosto de 1979, com o embelezamento da nova ilha pela plantação de "palmeiras, acácias, papiros e lotos"[92], a fim de conceber a feição original do local onde os templos estavam situados.

O governo egípcio, num gesto de agradecimento à colaboração de vários países, doou a cada um dos participantes um vaso ou estátua. Aos Estados que contribuíram significativamente foram entregues quatro dos templos núbios: Dendur, aos Estados Unidos; Debod, à Espanha; Tafa, à Holanda; e as capelas de Elesia, à Itália[93].

A Campanha Internacional para a Salvaguarda dos Templos da Núbia foi encerrada oficialmente em março de 1980.

- As campanhas para a salvaguarda das cidades de Veneza e Florença, Itália (1966)[94]

As campanhas internacionais para a salvaguarda das cidades italianas surgiram em razão de uma situação emergencial que exigiu rápida ação da Unesco: as fortes chuvas que assolaram várias cidades italianas em 1966, entre elas Veneza e Florença.

Florença foi a mais atingida. Em 4 de novembro, o rio Arno inundou o centro da cidade, atingindo dezoito igrejas e várias galerias, entre elas a famosa galeria Uffizzi[95].

O desastre coincidiu com a 14ª Conferência Geral da Unesco, e, em resposta ao apelo da delegação italiana, foi lançada a campanha internacional para salvaguarda daquelas cidades, que se iniciou com o recrutamento de vários voluntários da Europa e dos Estados Unidos,

---

92. Ibid.
93. Ibid., p. 12.
94. A Respeito das Campanhas das Cidades Italianas, cf. *La Protection du Patrimoine Culturel de l'Humanité: Sites et Monuments*, Paris: Unesco, 1969, pp. 54-61; e Hiroshi Daifuku. "International Assistance for the Conservation of Cultural Property". In: ISAR, Yudhishthir Raj (ed.) *Why Preserve the Past? The Challenge to our Cultural Heritage*. Paris: Unesco e Smithsonian Institution Press, pp. 58-61, 1986.
95. *La Protection du Patrimoine Culturel de l'Humanité: Sites et Monuments*, Paris: Unesco, 1969, p. 54.

especialmente estudantes, para contribuir com a restauração das obras de arte danificadas.

A fase crítica durou de dois a três anos. Em 1974 foi constituída uma fundação, denominada Pro Venetia Viva, que contribui para um trabalho permanente na conservação de Veneza, sobretudo em virtude dos problemas ocasionados pelas águas subterrâneas.

A campanha em prol das cidades italianas foi executada em conjunto pela Unesco e pelo Conselho da Europa.

• *As experiências extraídas de ambas as campanhas*

Relativamente a essas campanhas, algumas contribuições podem ser apontadas.

O espírito de solidariedade internacional que se fez sentir devido à participação de parcela considerável da comunidade internacional para a salvaguarda dos monumentos. A campanha da Itália contou também com a participação de estudantes europeus que se apresentaram voluntariamente para os trabalhos de restauração.

As campanhas internacionais revelaram a incapacidade de soluções isoladas ou apenas intraestatais para a salvaguarda do patrimônio cultural. A relação de interdependência entre os Estados afetados e a comunidade internacional restou patente em ambas as campanhas. Essa incapacidade é constatada em países desenvolvidos e subdesenvolvidos.

Na campanha dos templos da Núbia, especificamente, cada Estado foi responsável pela salvaguarda de um templo. Em ambas, houve contribuições financeiras da comunidade internacional, além da assistência técnica – equipamentos e recursos humanos. Há aqui um esboço do regime de assistência internacional que foi, posteriormente, adotado pela Convenção Relativa à Proteção do Patrimônio Mundial, Cultural e Natural, de 1972.

Assim, em decorrência dessa relação de interdependência, ficou constatada a necessidade de adotar um regime de cooperação internacional que atendesse prontamente às necessidades dos Estados até mesmo em situações de extrema urgência, de calamidade pública, bem caracterizadas nas campanhas da Itália. Em suma, a necessidade de institucionalização da cooperação internacional em torno da proteção dos bens culturais.

A campanha dos templos da Núbia demonstrou a afinidade entre progresso econômico e proteção dos bens culturais: os templos não foram destruídos e as obras de alargamento da represa de Assuã foram executadas.

As campanhas internacionais selaram um pacto de compromissos mútuos entre Estados e comunidade internacional. Ambas as partes reconheceram a importância do patrimônio cultural para toda a humanidade e agiram em conjunto para sua preservação.

Os trabalhos preparatórios da Convenção Relativa à Proteção do Patrimônio Mundial, Cultural e Natural, de 1972

Na 14ª Conferência Geral da Unesco instaura-se o procedimento[96] de elaboração da Convenção Relativa à Proteção do Patrimônio Mundial, Cultural e Natural, de 1972, por meio da resolução 3.342, que autorizava o diretor-geral a "... coordenar y lograr que se adopte en plano internacional, los principios y criterios científicos y técnicos y jurídicos aplicables en materia de protección de los bienes culturales, monumentos y lugares de interés artístico o arqueológico..."[97].

Os trabalhos preparatórios da Convenção Relativa à Proteção do Patrimônio Mundial, Cultural e Natural, de 1972, podem ser divididos em três etapas: a primeira, caracterizada pelos interesses não governamentais, em virtude da participação de profissionais de reconhecimento internacional na área de proteção dos bens culturais,

---

96. Esse procedimento consta do "Reglamento sobre las recomendaciones a los Estados miembros y las convenciones internacionales previstas en el párrafo 4 del articulo IV". In: *Textos Fundamentales – Manual de la Conferencia General y el Consejo Ejecutivo*, 1994. pp. 119-124.
97. Resolução 3.342, excerto da alínea "b". In: *Actas de la Conferencia General*, 14ª reunión. Paris: 1966. Edição espanhola: 1967. p. 2.

escolhidos sem qualquer vínculo governamental[98]; a segunda, caracterizada pelos interesses governamentais, devido à contribuição dos Estados-membros da Unesco; a terceira, relacionada à discussão e votação do projeto submetido à 17ª Conferência Geral da Unesco, realizada em 1972.

• *Primeira etapa: os encontros de especialistas, em 1968 e 1969*

As reuniões de especialistas, ocorridas em fevereiro de 1968[99] e março de 1969[100], forneceram subsídios teóricos para a formulação de um regime internacional adequado à proteção dos bens culturais imóveis. Com base nas conclusões dessas reuniões, o diretor-geral da Unesco apresentou um relatório à 16ª sessão da Conferência Geral da Organização (1970)[101], que subsidiou a elaboração dos anteprojetos de convenção e recomendação concluídos em junho de 1971[102].

O primeiro encontro se ateve às concepções teóricas da proteção: os princípios e critérios científicos, técnicos e jurídicos aplicáveis à proteção dos bens culturais imóveis.

No segundo encontro, os especialistas opinaram pela adoção de uma recomendação[103] que disciplinasse os princípios de proteção em âmbito

---

98. O artigo 56 do "Reglamento para la classificación de conjunto de las diversas categorías de reuniones convocadas por la Unesco" dispõe que o Comitê de Especialistas pode "submeter sugestões ou aconselhar a organização na preparação ou implementação dos seus programas em um campo particular ou em outras matérias dentro dos seus propósitos". Tradução nossa.
99. A respeito dos principais temas debatidos nesse encontro, cf. documento SHC/CS/27/8, Unesco, Paris, 31 de dezembro de 1968, pp. 1-33.
100. A respeito dos principais temas debatidos nesse encontro, cf. documento SHC/MD/4, Unesco, Paris, 10 de outubro de 1969, pp. 1-40.
101. O teor desse relatório elaborado pelo Conselho Executivo da Unesco consta do documento 16c/19, Unesco, Paris, julho de 1970, pp. 1-3; e anexo, pp. 1-12.
102. Os anteprojetos de convenção e recomendação constam do documento SHC/MD/17, Paris: Unesco, 30 de junho de 1971, pp. 1-28; anexo I, pp. 1-10; e anexo II, pp. 1-9.
103. O teor da decisão é o seguinte: "*La réunion d'experts suggère au Directeur général: (a) de préparer une Recommandation internationale sur la base des principes et critères scientifiques, techniques et juridiques contenus dans le présent document pouvant servir à l'élaboration ou au perfectionnement des systèmes nationaux de protection des monuments, des ensembles et des sites*". In: Documento SHC/MD/4. Paris: Unesco, 10 de outubro de 1969, p. 40, alínea "a" das conclusões.

nacional e de uma convenção[104] que regulamentasse o regime de cooperação internacional.

• *Segunda etapa: a participação dos Estados-membros da Unesco*

Entre fevereiro e março de 1972, a maioria das respostas recebidas pelo diretor-geral da Unesco, em relação ao seu anteprojeto[105], foi favorável aos empreendimentos de elaboração de uma convenção concernente à proteção dos monumentos, conjuntos e sítios de valor universal[106].

Os Estados consultados não apresentaram propostas que alterassem significativamente o anteprojeto da Unesco, à exceção da Áustria, Estados Unidos e Reino Unido.

A Áustria sugeriu a divisão da convenção em duas: uma, destinada aos bens culturais, e outra, aos bens naturais[107].

Os Estados Unidos apresentaram suas propostas na forma de um anteprojeto substitutivo[108], com poucas diferenças em relação ao sugerido pela Unesco. Os bens protegidos seriam divididos em duas categorias: as zonas naturais, incluindo as águas interiores, e os sítios culturais[109].

---

104. Merece transcrição a decisão mencionada: "La réunion d'experts suggère au Directeur général: (b) de préparer une Convention internationale ou recourir à tout autre moyen approprié tendant à l'institution d'un régime international de sauvegarde des monuments, des ensembles, et des sites d'intérêt universel, conformément aux principes et modalités définis dans le présent document. Cette Convention, si elle intervenait, devrait être rédigée de manière à faciliter l'action des organismes régionaux qui pourraient être amenés à forger des instruments de même nature". In: Documento SHC/MD/4. Paris: Unesco, 10 de outubro de 1969, p. 40, alínea "b", das Conclusões.
105. O parágrafo 1º do artigo 10 do "Reglamento sobre las recomendaciones a los Estados miembros y las convenciones internacionales previstas en el párrafo 4 del artículo IV" estabelece que o "relatório preliminar deve ser acompanhado de um anteprojeto de convenção ou recomendação, dependendo do caso. Os Estados-membros devem ser consultados para fazerem comentários e observações a respeito do relatório". Tradução nossa.
106. As sugestões apresentadas pelos Estados constam dos seguintes documentos: SHC/MD/18, Unesco, Paris, 21 de fevereiro de 1972, anexo I, pp. 1-19, anexo II, pp. 1-15, anexo III, pp. 1-10, anexo IV, pp. 1-9. Ao documento SHC/MD/18 posteriormente foram anexados quatro outros: SHC/MD/18, Add. 1, pp. 1-9; SHC/MD/18, Add. 2, pp. 1-7; SHC/MD/18, Add. 3, pp. 1-3; SHC/MD/18, Add. 4, pp. 1-6.
107. Documento SHC/MD/18, anexo I, Unesco, Paris, 21 de fevereiro de 1972, pp. 2-3.
108. O teor do projeto norte-americano consta do documento SHC/MD/18, Add. 1, Unesco, Paris, pp. 1-9. Tradução nossa.
109. Documento SHC/MD/18, Add. 1, Unesco, Paris, pp. 1-9, artigo 1º.

A autoridade internacional seria composta por um "Comitê para a Preservação e a Proteção das Zonas Naturais e Sítios Culturais de Valor Universal"[110], integrado por todos os Estados-partes da Convenção, que elege um organismo mais restrito, o "Conselho da União pela Salvaguarda do Patrimônio Mundial"[111]; e um "Fundo Mundial para a Preservação e a Proteção das Zonas Naturais e dos Sítios Culturais de Valor Universal"[112]. O regime jurídico de proteção aplicar-se-ia em âmbitos nacional[113] e internacional[114]. Aliado ao regime de proteção, o anteprojeto contemplava um sistema de programas educativos[115].

O Reino Unido defendeu a tese de que a convenção cuidasse somente dos bens culturais, cabendo à Convenção de Estocolmo, que deveria ser aprovada brevemente, a proteção dos bens naturais[116].

A posição defendida pelo Reino Unido tinha como premissa evitar uma "proliferação de instrumentos internacionais" que tratassem do mesmo tema, dificultando a aplicação adequada das normas jurídicas. Essa alegação foi rechaçada pelo diretor-geral da Unesco, ao observar que a recomendação de 1962 disciplinava a proteção das paisagens e dos sítios, atestando a tradição da organização em tratar da proteção dos bens culturais e naturais em um único instrumento internacional[117].

Todas essas propostas não vingaram no processo de elaboração da convenção.

Com base em outras propostas recebidas dos Estados, o diretor-geral da Unesco constituiu uma comissão governamental de especialistas para a elaboração de um projeto definitivo[118], a ser submetido na

---

110. *Ibid.*, artigo 3º.
111. *Ibid.*, artigos 4º a 8º.
112. *Ibid.*, artigos 8º e 9º.
113. *Ibid.*, artigos 11 a 15.
114. *Ibid.*, artigos 16 a 21.
115. *Ibid.*, artigos 22 e 23.
116. *Ibid.*, 21 de fevereiro de 1972, pp. 13-15.
117. *Ibid.*, p. 10.
118. O parágrafo 3º do artigo 10º do "Reglamento sobre las recomendaciones a los Estados miembros y las convenciones internacionales previstas en el párrafo 4 del artículo IV" dispõe que o diretor-geral, com base nos comentários e observações transmitidas pelos Estados, deve preparar um ou mais projetos que deverão ser submetidos aos Estados-membros "no mínimo sete meses antes da abertura da sessão da Conferência Geral". Tradução nossa. Os projetos definitivos constam do documento 17c/18, Unesco, Paris, 15 de julho de 1972, pp. 1-30.

sessão plenária da 17ª Conferência Geral da Unesco, realizada entre outubro e novembro de 1972.

• *Terceira etapa: discussão e votação do projeto durante a 17ª Conferência Geral da Unesco, realizada em 1972*[119]

A Convenção Relativa à Proteção do Patrimônio Mundial, Cultural e Natural aprovada em Paris foi fruto de um longo processo de negociação entre os Estados, com base nas concepções fundamentais definidas nos encontros de especialistas.

Durante a Conferência Geral, o projeto submetido a uma comissão governamental, num último esforço de negociações antes de sua apreciação pelo plenário, sofreu poucas alterações, à exceção das normas referentes às contribuições financeiras dos Estados ao Fundo do Patrimônio Mundial[120], proporcionando sua aprovação pela sessão plenária sem modificações. Setenta e cinco Estados foram favoráveis ao projeto de convenção; um foi contra, e ocorreram dezessete abstenções, obtendo-se o *quorum* necessário de dois terços para aprovação[121].

---

119. O artigo 11 do "Reglamento sobre las recomendaciones a los Estados miembros y las convenciones internacionale /s previstas en el parráfo 4 del artículo IV" prevê que a Conferência Geral "deve apreciar e discutir os projetos a ela submetidos e as emendas propostas". Tradução nossa. O artigo 12 estabelece o *quorum* de aprovação do projeto de convenção (dois terços) e recomendação (maioria simples).
120. A decisão final da Comissão foi a seguinte: "The Comission recommended by 43 votes in favour, 8 against, and with 19 abstentions, that the General Conference adopt the Convention for the Protection of the World Cultural and Natural Heritage, as it appears in document 17c/18, Annex, Part B amended (see document 17c/106)". Cf. documento 17c/99. Unesco, Paris, 15 de novembro de 1972, item 22, p. 31.
121. Documento 17C/VR. 32-33, Unesco, Paris, novembro de 1972, p. 2.

3 | AS INSTITUIÇÕES DA CONVENÇÃO QUE PRESTAM ASSISTÊNCIA INTERNACIONAL NO CAMPO DOS BENS CULTURAIS

Largo do Pelourinho, Salvador, Bahia.

As instituições previstas na Convenção Relativa à Proteção do Patrimônio Mundial, Cultural e Natural compõem a estrutura de uma *autoridade internacional de proteção*, cuja função principal é conferir plena execução à própria Convenção, promovendo a inscrição dos bens culturais na Lista do Patrimônio Mundial ou na Lista do Patrimônio Mundial em Perigo e prestando assistência internacional.

A constituição dessa autoridade internacional é representada por meio de um *órgão executivo permanente*, o Comitê do Patrimônio Mundial, e especificamente por seu *bureau*, integrado também por um Comitê consultivo, composto por representantes do ICCROM e do ICOMOS, sem prejuízo da participação de organizações internacionais intergovernamentais interessadas na proteção, sobretudo aquelas de caráter regional que poderiam ter uma ação conjunta com a Unesco, a exemplo da União Europeia, Organização dos Estados Americanos e Liga dos Estados Árabes, ou de organizações não governamentais, como a União Internacional de Arquitetos, em face da tradição e da experiência com trabalhos de proteção dos bens culturais.

Paralelamente às ações do Comitê, há um fundo internacional para recolher e distribuir os recursos necessários para financiar as ações protetoras.

Comitê Intergovernamental da Proteção do Patrimônio Mundial, Cultural e Natural, ou Comitê do Patrimônio Mundial[1]

O Comitê do Patrimônio Mundial é um Comitê intergovernamental instituído pela Convenção, composto inicialmente por quinze representantes dos Estados signatários e posteriormente por vinte e um[2]. Tais representantes são eleitos em assembleia geral durante as sessões ordinárias da Conferência Geral da Unesco[3].

O Comitê possui um *bureau* composto por seu presidente, cinco vice-presidentes e um relator, que se reúnem duas vezes por ano para preparar a agenda do próprio Comitê, atender aos casos de emergência que necessitam de uma assistência internacional e resolver outros problemas.

Compete ao Comitê organizar, manter em dia e publicar a Lista do Patrimônio Mundial e a Lista do Patrimônio Mundial em Perigo[4], assim como deliberar sobre a inclusão de um bem cultural em qualquer uma dessas listas "segundo os critérios que haja estabelecido"[5].

Uma segunda função, tão importante quanto a primeira, consiste em receber e estudar os pedidos de assistência internacional formulados pelos Estados-partes na Convenção, "...no que diz respeito aos bens do patrimônio natural e cultural em seus territórios, que figurem ou sejam suscetíveis de figurar nas listas mencionadas nos parágrafos 2º e 4º do artigo 11"[6].

Em decorrência de ambas as funções mencionadas, o Comitê vem formulando disposições que regulamentam a Convenção, permitindo sua plena execução ao longo dos últimos trinta e cinco anos. Tais dispo-

---

1. Convenção Relativa à Proteção do Patrimônio Mundial, Cultural e Natural, de 1972, artigos 8º ao 14.
2. *Ibid.*, artigo 8º, parágrafo 1º.
3. *Ibid.*
4. Convenção Relativa à Proteção do Patrimônio Mundial, Cultural e Natural, de 1972, artigo 11, parágrafos 2º e 4º.
5. *Ibid.*, artigo 11, parágrafo 5º.
6. *Ibid.*, artigo 13, parágrafo 1º.

sições consolidadas são denominadas "Orientações Técnicas para Aplicação da Convenção do Patrimônio Mundial"[7].

As *Orientações* definem os critérios de inclusão ou exclusão de um bem cultural na Lista do Patrimônio Mundial e na Lista do Patrimônio Mundial em Perigo, disciplinam as formas de assistência internacional e dispõem sobre questões gerais que variam desde o funcionamento do Comitê do Patrimônio Mundial até a utilização do símbolo do patrimônio mundial. Esta última função confere ao Comitê o papel de principal instituição da Convenção, pois lhe concede executoriedade.

Conselho Internacional de Monumentos e Lugares de Interesse Artístico e Histórico (ICOMOS[8])

O ICOMOS é uma organização não governamental fundada em 1965 na cidade de Varsóvia, Polônia, com base nas diretrizes estabelecidas pelo Congresso Internacional sobre Restauração e Conservação de Monumentos e Sítios, denominado Congresso de Veneza (1964). Em outras palavras, compete ao ICOMOS promover a teoria, a metodologia e a tecnologia aplicadas na conservação e proteção do patrimônio arquitetônico[9].

A estrutura administrativa do ICOMOS é constituída de uma assembleia geral, órgão soberano da organização que comporta todos os seus membros e elege os membros da diretoria – presidente, vice-presidentes, secretário-geral e tesoureiro –, um comitê executivo, composto por membros da diretoria e outros de alto gabarito profissional, que se consubstancia na instância de direção do ICOMOS, e um comitê consultivo, que reúne os presidentes dos comitês nacionais e internacionais e cuja função é auxiliar a formulação dos programas instaurados pelo comitê executivo[10].

---

7. Para facilitar a leitura, passamos a denominar de *Orientações* a "Orientações Técnicas para a Aplicação da Convenção do Patrimônio Mundial" (versão 2008, em língua portuguesa). Disponível em: http://whc.unesco.org/en/guidelines. Acesso em: 24 nov. 2011.
8. International Council on Monuments and Sites.
9. Sobre a criação do ICOMOS, cf.: http://www.international.icomos.org/hist_eng.htm. Acesso em: 24 nov. 2011.
10. Cf. artigos 8º a 17 do Estatuto do ICOMOS. Disponível em: http://www.international.icomos.org/statuts_eng.htm. Acesso em: 24 nov. 2011.

Os objetivos principais do ICOMOS, em especial no campo da proteção do patrimônio arquitetônico, são: promover a aproximação de especialistas de todo o mundo, servindo de fórum para oferecer todas as possibilidades de diálogo e de troca entre os profissionais ligados ao campo da conservação; coletar, estudar e difundir as informações sobre os princípios, as técnicas e as políticas de conservação e de salvaguarda; colaborar em âmbito nacional e internacional para a criação de centros de documentação especializados na conservação; encorajar a adoção e aplicação de recomendações internacionais pertinentes à proteção; participar na organização de programas de treinamento para a formação de especialistas em escala mundial; colocar a serviço da comunidade internacional seu quadro de especialistas altamente qualificados e selecionados[11].

Na estrutura desenhada pela Convenção, compete ao ICOMOS colaborar com o Comitê na elaboração e execução de seus projetos[12], bem como, mediante solicitação do diretor-geral da Unesco, prestar os serviços em sua esfera de atuação[13].

Sua função principal consiste em opinar sobre o pedido de inscrição de um bem cultural na Lista do Patrimônio Mundial mediante a emissão de pareceres de cunho eminentemente técnico. Em algumas situações, o ICOMOS aponta as medidas protetoras a serem tomadas pelo Estado responsável pela inscrição de um bem na Lista do Patrimônio Mundial.

---

11. Cf. artigos 4º a 5º do Estatuto do ICOMOS. Disponível em: http://www.international.icomos.org/statuts_eng.htm. Acesso em: 24 nov. 2011. Tradução nossa.
12. Convenção Relativa à Proteção do Patrimônio Mundial, Cultural e Natural, de 1972, artigo 13, parágrafo 7º.
13. Convenção Relativa à Proteção do Patrimônio Mundial, Cultural e Natural, de 1972, artigo 14, parágrafo 2º.

Centro Internacional de Estudos para a Conservação e Restauração dos Bens Culturais (ICCROM[14]), ou Centro de Roma

Em 1951, durante a 6ª Conferência Geral da Unesco, com base numa proposta da delegação suíça, é aprovada uma resolução que autorizava a Unesco a criar uma organização ligada ao campo da restauração dos bens culturais[15].

Somente em 1959 é instituído oficialmente o ICCROM, ou simplesmente Centro de Roma, uma organização intergovernamental autônoma que executa suas atividades em estreita colaboração com a Unesco.

Integram a estrutura do ICCROM[16] uma assembleia geral composta pelos delegados dos Estados-membros da organização que se reúne a cada dois anos, um conselho constituído por especialistas nos campos da conservação e restauração, eleitos pela assembleia geral, incumbido de executar as decisões e diretrizes desta última, e um secretariado, composto pelo diretor-geral e seus assessores, encarregado da administração da organização.

De acordo com seu estatuto, as principais funções do ICCROM[17] são a coleta, o estudo e a circulação de informações referentes aos problemas técnicos e científicos da conservação e restauração dos bens culturais; a coordenação, o estímulo e a instituição de pesquisas no campo da conservação e restauração; a formulação de conselhos e recomendações nas questões relativas à conservação e restauração dos bens culturais; a promoção, o desenvolvimento e o apoio a instituição de treinamentos de pesquisadores e técnicos no campo da conservação e da restauração; e o incentivo a iniciativas para melhor compreensão a respeito da conservação e da restauração dos bens culturais.

---

14. International Centre for the Study of the Preservation and the Restoration of Cultural Property.
15. Documento SHC/MD/4, Unesco, Paris, 10 out. 1969, pp. 18-19.
16. Cf. artigos 4º a 6º do Estatuto do ICCROM (revisado em 2005). Disponível em: http://www.iccrom.org/eng/00about_en/00_01govern_en/statutes_en.shtml. Acesso em: 24 nov. 2011.
17. Cf. artigo 1º do Estatuto do ICCROM (revisado em 2005). Disponível em: http://www.iccrom.org/eng/00about_en/00_01govern_en/statutes_en.shtml. Acesso em: 24 nov. 2011.

O ICCROM tem uma atuação ativa nas campanhas internacionais de salvaguarda dos monumentos promovidas pela Unesco, com destaque para a participação nas campanhas de Veneza e de Florença (1966).

Fundo para a Proteção do Patrimônio Mundial, Cultural e Natural, ou Fundo do Patrimônio Mundial[18]

O Fundo do Patrimônio Mundial presta assistência financeira para implementar as formas de assistência internacional deliberadas pelo Comitê do Patrimônio Mundial a cada caso.

Durante os trabalhos preparatórios da Convenção, o relatório final apresentado na primeira reunião de especialistas (1968) já apontava para a necessidade de uma *ajuda financeira* às atividades de proteção e conservação dos sítios e monumentos de valor e de interesse universal, numa proporção que variasse segundo os casos e a importância dos trabalhos[19].

Era o princípio da constituição de um fundo internacional que prestasse socorro financeiro de forma subsidiária, cabendo ao Estado beneficiário uma contribuição substancial[20].

Inicialmente, havia uma proposta para a instituição de um fundo internacional para proteção dos bens culturais e de outro para a proteção dos bens naturais, que foi rejeitada quando examinada pelo Comitê de Especialistas Governamentais durante os trabalhos preparatórios da Convenção[21].

Aplicam-se ao fundo as disposições do regulamento financeiro da Unesco[22].

---

18. Cf. artigos 15 a 18 da Convenção Relativa à Proteção do Patrimônio Mundial, Cultural e Natural de 1972.
19. Documento SHC/CS/27/8, Unesco, Paris, 31 dez. 1968, p. 32.
20. *Ibidem*.
21. Documento 17C/18, Unesco, Paris, junho de 1972, p. 6.
22. Convenção Relativa à Proteção do Patrimônio Mundial, Cultural e Natural, de 1972, artigo 15, parágrafo 2º.

A Convenção prevê várias formas de captação de recursos para o fundo, que variam desde contribuições obrigatórias e voluntárias de Estados-partes na Convenção até juros produzidos pelos recursos do próprio fundo[23].

As contribuições obrigatórias decorrem da necessidade de captação mínima de recursos para a manutenção do fundo; as voluntárias, provenientes de Estados-partes na Convenção, Estados não partes, Unesco, órgãos públicos, privados e pessoas físicas, visam alargar o campo de captação de recursos, notadamente em campanhas internacionais de grandes proporções.

Em linhas gerais, a ideia de contribuições voluntárias já constava do primeiro projeto da Convenção, especificamente de seu artigo 13, com base na constatação de que muitos Estados, em princípio sem nenhum compromisso prévio, muito contribuíram para as campanhas internacionais para a salvaguarda dos templos da Núbia e das cidades de Florença e Veneza[24].

O sistema de contribuições obrigatórias e voluntárias adotado pela Convenção foi amplamente debatido até sua concepção final. Uma vertente dos delegados do Comitê Especial Governamental defendia apenas as contribuições voluntárias; outra, as voluntárias e obrigatórias[25].

A adoção das contribuições voluntárias foi amplamente aprovada por trinta e sete votos a favor, com nove votos contra e seis abstenções[26].

O sistema das contribuições obrigatórias resultou de ampla negociação, proporcionando a fórmula intermediária consagrada no parágrafo 2º do artigo 16 da Convenção, que permite aos Estados-membros e não membros da Unesco, no momento do depósito do instrumento "de ratificação, aceitação ou adesão", declarar que não se obrigam por aquelas contribuições disciplinadas no parágrafo 1º do mesmo artigo 16.

---

23. *Ibid.*, artigo 15, parágrafos 3º e 4º.
24. Documento SHC/MD/17, Unesco, Paris, 30 jun. 1971, p. 25.
25. Documento 17C/18, Unesco, Paris, jun. 1972, pp. 6-8.
26. Documento 17C/18, Unesco, Paris, jun. 1972, p. 8.

Por último, a Convenção Relativa à Proteção do Patrimônio Mundial, Cultural e Natural prevê uma sanção ao Estado-parte que "estiver em atraso no pagamento de sua contribuição obrigatória ou voluntária", tornando-o inelegível para o Comitê do Patrimônio Mundial, "não se aplicando essa disposição por ocasião da primeira eleição"[27]. Se o "Estado-parte já for membro" do Comitê do Patrimônio Mundial, "seu mandato se extinguirá" quando se realizarem as eleições do Comitê, na forma do parágrafo 1º do artigo 8º da Convenção[28].

---

27. Convenção Relativa à Proteção do Patrimônio Mundial, Cultural e Natural, de 1972, artigo 16, parágrafo 5º.
28. Ibid.

4

OS BENS CULTURAIS PROTEGIDOS PELA CONVENÇÃO RELATIVA À PROTEÇÃO DO PATRIMÔNIO MUNDIAL, CULTURAL E NATURAL, DE 1972

Congresso Nacional. Brasília, Distrito Fede

Os bens culturais pertencentes ao patrimônio cultural definidos pela Convenção são[1]:

- os monumentos: obras arquitetônicas, de escultura ou de pintura monumentais, elementos ou estruturas de natureza arqueológica, inscrições, cavernas e grupos de elementos que tenham um valor universal excepcional do ponto de vista da história, da arte ou da ciência;

- os conjuntos: grupos de construções isoladas ou reunidas que, em virtude de sua arquitetura, unidade ou integração na paisagem, tenham um valor universal excepcional do ponto de vista da história, da arte ou da ciência;

- os lugares notáveis: obras do homem ou obras conjugadas do homem e da natureza, bem como as zonas, até mesmo lugares arqueológicos, que tenham valor universal excepcional do ponto de vista histórico, estético, etnológico ou antropológico.

---

1. Convenção Relativa ao Patrimônio Mundial, Cultural e Natural de 1972, art. 1º.

Os elementos característicos do patrimônio cultural

A classificação dada pela Convenção procura atender às possíveis manifestações humanas por meio dos bens culturais imóveis: os monumentos e os conjuntos compreendem realizações exclusivas da ação humana; os lugares notáveis, as realizações conjuntas do homem e da natureza.

Ao longo dos anos, o Comitê, por meio de suas reuniões, formulou alguns conceitos para melhor caracterização dos bens culturais previstos na Convenção[2].

Os monumentos

Assim denominados porque representam as grandes realizações humanas.

Os conjuntos

Os conjuntos, ou os chamados "sítios culturais", são os locais que agregam os bens culturais considerados de grande valor ao lado daqueles de menor expressão. Nesse item procura-se conservar todo o conjunto onde o homem habita e manifesta suas realizações. É a conservação do ambiente humano. Essa concepção resulta diretamente da Carta de Veneza e é adotada como um dos princípios básicos de proteção conforme manifestação do diretor-geral da Unesco na 16ª Conferência Geral da Organização.

Os conjuntos são classificados em cidades mortas, cidades históricas vivas e cidades novas do século XX.

---

2. Convenção Relativa à Proteção do Patrimônio Mundial, Cultural e Natural, de 1972, artigo 1º.

Cidades mortas

Cidades antigas que não possuem vida contemporânea, outrora habitadas por civilizações hoje desaparecidas, que nos legaram importantes vestígios dos períodos em que ali viveram, a exemplo de Timgad (Argélia), Mohenjo-Daro (Paquistão), Machu Picchu e Chan Chan (Peru), Axum (Etiópia), Sigiriya (Sri Lanka), Teotihuacán (México), Hampi (Índia)[3].

As cidades mortas, para Mounir Bouchenaki[4], são "sítios arqueológicos, portanto inteiramente desabitados a não ser por seus guardiões, e fora das horas de visita nenhum ruído de pisadas humanas perturba sua serenidade".

Cidades históricas vivas[5]

Cidades que possuem uma função contemporânea, sem perderem vestígios significativos de antigas civilizações. Consideram-se cidades históricas vivas nos seguintes casos:

- cidades típicas de uma época ou de uma cultura, preservadas em quase toda a sua integridade, pois não afetadas significativamente por qualquer desenvolvimento posterior. Assim, caracterizam-se pela identidade entre o bem inscrito e o conjunto da cidade, exigindo, portanto, a sua proteção integral, a exemplo de Ouro Preto (Brasil) e Shiban (Iêmen);
- cidades evolutivas, cuja parte histórica é claramente delimitada em relação ao seu meio contemporâneo. São exemplos: Cuzco (Peru), Berna (Suíça) e Split (Croácia);

---

3. A respeito das cidades mortas, cf. documento SC/84/Conf. 004/9, Unesco, Buenos Aires, 2 nov. 1984, p. 5.
4. "As Ruínas do Passado". *O Correio da Unesco* (edição brasileira). Rio de Janeiro: Fundação Getúlio Vargas, n. 10, ano 16, p. 12, out. 1988.
5. A respeito das cidades históricas vivas e suas espécies, Conf. documento SC/84/Conf. 004/9, Unesco, Buenos Aires, 2 nov. 1984, p. 6.

- centros históricos cuja dimensão espacial abrange exatamente o perímetro da cidade antiga, atualmente englobada por uma cidade moderna. São exemplos a antiga cidade de Damasco (Síria) e Medina de Túnis (Tunísia);
- setores, áreas ou unidades isoladas que representam um estado residual da antiga cidade desaparecida, mantendo, porém, as características que atestam sua origem daquela antiga cidade. Nessa hipótese, a área e as construções testemunham claramente o conjunto desaparecido. Exemplos: Cairo islâmico (Egito) e o bairro de Bryggen, em Bergen (Noruega).

Cidades novas do século XX[6]

Esta categoria de cidades não constava dos projetos da Convenção, tampouco foi objeto de debates nas reuniões preparatórias. Ela é concebida com base nas sessões do Comitê do Patrimônio Mundial, principalmente em razão da inscrição de Brasília na Lista do Patrimônio Mundial.

As cidades novas do século XX possuem uma organização urbana de inegável autenticidade e claramente identificada. Essas cidades são muito suscetíveis ao progresso econômico e social, possuem um futuro incerto e um desenvolvimento totalmente imprevisível.

Os lugares notáveis[7]

Os lugares notáveis, ou os chamados sítios mistos, resultam da combinação das realizações humanas com as ações da natureza. São também denominados bens mistos, culturais e naturais ou paisagens culturais. Trata-se ainda de categoria com pequena representatividade na Lista do

---

6. Cf. documento SC/84/Conf. 004/9, Unesco, Buenos Aires, 2 nov. 1984, p. 5.
7. Cf. Lista do Patrimônio Mundial. Disponível em: http://whc.unesco.org/en/list. Acesso em 2 dez. 2011. Deve-se esclarecer que, até nov. 2011, constam na lista 725 bens culturais e 183 naturais, distribuídos em 153 Estados.

Patrimônio Mundial, pois, até 2011, apenas vinte e oito sítios mistos estavam inscritos.

Entre os sítios mistos, é interessante destacar as paisagens rurais, a exemplo das vinícolas do sul da Europa e dos arrozais do Sudeste Asiático, que conservam técnicas tradicionais de produção, constantemente ameaçadas por métodos modernos que visam atender à alta competitividade imposta pelo progresso econômico. As paisagens rurais carecem de meios que conciliem a preservação das tradicionais técnicas de produção com as modernas formas de produção[8].

Os sítios arqueológicos

Subjacente às noções de monumentos, conjuntos e lugares notáveis, a Convenção reconhece o valor cultural dos sítios arqueológicos. É o que se verifica pelas expressões "elementos ou estruturas de natureza arqueológica" – monumentos –, "valor universal excepcional do ponto de vista da história, da arte ou da ciência" – conjuntos – e "lugares arqueológicos" – lugares notáveis.

Os sítios arqueológicos não possuem necessariamente conteúdo estético, mas são de capital importância para investigações científicas por representarem uma arte desaparecida ou vestígios de relevante período da história de um povo.

As cidades e os monumentos

O Comitê do Patrimônio Mundial admite a inscrição de monumentos desvinculados do conjunto histórico das cidades onde estão localizados.

São as propositivas em favor de realizações isoladas que exercem uma grande influência na história do urbanismo, como as praças de Nancy (França) e Meidan-e-Shah d'Ispahan (Irã)[9], e os monumentos de valor universal evidente mas sem nenhuma ligação especial com a cidade,

---
8. Documento SC/84/Conf. 004/9, Unesco, Buenos Aires, 2 nov. 1984, pp. 9-10.
9. Cf. documento SC/84/Conf. 004/9, Unesco, Buenos Aires, 2 nov. 1984, pp. 6-7.

como, por exemplo, a mesquita de Córdoba (Espanha) e a catedral de Amiens (França)[10].

Lista do Patrimônio Mundial

A proposta de elaboração da Lista do Patrimônio Mundial foi apresentada por Robert Brichet durante o primeiro encontro de especialistas em 1968[11]. A proposta tinha como precedente o artigo 8º da Convenção de Haia de 1954, que concedia uma "proteção especial" aos bens culturais inscritos no Registro Internacional de Bens Culturais sob Proteção Especial[12], desde que atendidas algumas condições, entre elas a não utilização para "fins militares"[13].

Os bens culturais e naturais de "valor universal excepcional" são aqueles inscritos na Lista do Patrimônio Mundial, e cabe ao "Comitê do Patrimônio Mundial organizar, manter em dia e publicar a lista desses bens que representam o patrimônio cultural e natural da humanidade"[14].

Um dos principais objetivos do Comitê do Patrimônio Mundial, desde sua primeira sessão, foi estabelecer um modelo de Lista do Patrimônio Mundial que representasse um número equilibrado de bens culturais e naturais de todas as áreas do planeta[15]. É a noção de universalidade que permeia a Lista do Patrimônio Mundial, segundo Frederico Mayor Zaragoza, ex-diretor-geral da Unesco[16]: "Espera-se que um dia a lista tenha um caráter plenamente universal e que sirva de referência definitiva das obras-primas da cultura e da natureza cujo destino concerne, hoje, a todos os países e a todos os homens".

---

10. Cf. documento SC/84/Conf. 004/9, Unesco, Buenos Aires, 2 nov. 1984, p. 7.
11. Documento SHC/CS/27/5, Unesco, Paris, 26 jan. 1968, p. 20.
12. Convenção de Haia (1954), artigo 8º, parágrafo 6º.
13. Convenção de Haia (1954), artigo 8º, parágrafo 1º, alínea "b".
14. Artigo 11, parágrafo 4, da Convenção Relativa à Proteção do Patrimônio Mundial, Cultural e Natural, de 1972; e verificar a Lista do Patrimônio Mundial, elaborada pelo Comitê do Patrimônio Mundial, disponível em: http://whc.unesco.org/en/list. Acesso em 2 dez. 2011.
15. Documento CC-77/Conf. 001/9, Unesco, Paris, 30 set. 1977, p. 3.
16. "Um Patrimônio Mundial". *O Correio da Unesco* (edição brasileira). Rio de Janeiro: Fundação Getúlio Vargas, n. 10, ano 16, p. 4, out. 1988.

A Lista do Patrimônio Mundial não é apenas um simples inventário dos bens culturais e naturais. Ela foi concebida para alcançar uma série de propósitos, cabendo destacar entre eles:

- limitar as operações do Comitê do Patrimônio Mundial a um número razoável de bens[17]. Essa premissa decorre da natureza jurídica do regime de proteção da Convenção, que contempla apenas os bens de "valor universal excepcional";
- alertar a opinião pública mundial da importância e dos perigos que ameaçam os bens culturais de interesse universal[18]. A ampla publicidade em torno desses bens estimula o interesse e a generosidade do público em contribuir para sua conservação[19];
- servir de instrumento de divulgação a serviço de campanhas internacionais promovidas para angariar fundos, facilitando a identificação dos bens para os quais o público poderá ser solicitado a contribuir. Em campanhas de grande vulto, quando os recursos do Fundo do Patrimônio Mundial eventualmente se tornarem insuficientes, o levantamento de contribuições pela população é essencial[20].

Regime jurídico do bem cultural inscrito na Lista do Patrimônio Mundial

Os bens inscritos na Lista do Patrimônio Mundial, segundo Ludmila N. Galenskaya[21], submetem-se a um regime jurídico alicerçado em quatro princípios:

- a soberania do Estado em cujo território situa-se o bem cultural é plenamente reconhecida e respeitada, assim como os direitos soberanos territoriais sobre esse bem e a legislação nacional aplicável[22];

---

17. Documento SHC/MD/17, Unesco, Paris, 30 jun. 1971, p. 24.
18. Ibid.
19. Documento SHC/MD/4, Unesco, Paris, 10 out. 1969, p. 25.
20. Documento SHC/MD/17, Unesco, Paris, 30 jun. 1971, p. 24.
21. "International Cooperation in Cultural Affairs". Recueil des Cours. Académie de Droit International de La Haye, Haia, v. 198 (III), pp. 293-304, 1986.
22. Convenção Relativa ao Patrimônio Mundial, Cultural e Natural, de 1972, artigo 6º, parágrafo 3º.

- o Estado-parte na Convenção reconhece a obrigação primordial de "identificar, proteger, conservar, valorizar e transmitir às futuras gerações" o patrimônio cultural mencionado no artigo 1º. Por sua vez, o artigo 5º discrimina as medidas a serem tomadas pelo Estado para garantir a execução desses objetivos. Periodicamente, os Estados deverão indicar nos relatórios que apresentarem à Conferência Geral da Unesco as medidas legislativas e regulamentares ou quaisquer outras que foram adotadas para a aplicação da Convenção[23];
- a comunidade internacional obriga-se a cooperar para a proteção dos bens culturais inscritos na Lista do Patrimônio Mundial, quando ela é requerida pelo Estado interessado[24];
- os Estados-partes na Convenção obrigam-se a não tomar qualquer medida que ameace direta ou indiretamente os bens do patrimônio cultural discriminados pela Convenção[25].

Os critérios para inscrição de um bem cultural na Lista do Patrimônio Mundial

A Convenção outorga ao Comitê a competência para definir os critérios "com base nos quais um bem do patrimônio cultural ou natural poderá ser incluído" na Lista do Patrimônio Mundial[26]. Os critérios adotados são aqueles que definem valor universal excepcional do bem[27], a sua autenticidade[28], a sua integridade e a comprovação de que o Estado interessado adotou medidas protetoras adequadas ao bem objeto de inscrição[29].

---

23. Convenção Relativa ao Patrimônio Mundial, Cultural e Natural, de 1972, artigo 29.
24. Convenção Relativa à Proteção do Patrimônio Mundial, Cultural e Natural, de 1972, artigo 6º, parágrafo 1º, c/c o artigo 7º.
25. *Ibid.*, artigo 6º, parágrafo 3º.
26. *Ibid.*, artigo 11, parágrafo 5º.
27. Convenção Relativa ao Patrimônio Mundial, Cultural e Natural, de 1972, artigos 1º e 11, parágrafo 2º.
28. *Orientações*, parágrafos 79 a 95.
29. *Orientações*, parágrafos 96 a 98.

Valor universal excepcional e representatividade e seletividade

Conforme as *Orientações*, o Comitê considera um bem cultural de valor excepcional quando[30]:
  (i) representa uma realização artística única, uma obra-prima do gênio criativo humano ou;
  (ii) exerce grande influência, por um período de tempo ou dentro de uma área cultural específica do mundo, a respeito do desenvolvimento da arquitetura, das artes monumentais, do planejamento de cidades ou do modelo de paisagens, ou;
  (iii) representa um testemunho especial ou no mínimo excepcional de uma civilização ou tradição cultural desaparecida;
  (iv) é um excepcional exemplo de um tipo de construção ou conjunto arquitetônico ou paisagem que ilustre significativo(s) estágio(s) da história humana, ou;
  (v) é um exemplo excepcional de ocupação humana tradicional ou de uso de terra representativo de uma cultura (ou culturas), especialmente quando se torna vulnerável sob o impacto de mutações irreversíveis;
  (vi) é direta ou claramente associado com eventos ou tradições vivas, com ideias ou com crenças, com obras artísticas e literárias de importância universal excepcional (o Comitê considera que esse critério deve justificar a inclusão na lista somente em excepcionais circunstâncias ou aliadas a outros critérios).

É admissível a inscrição de bens culturais na Lista do Patrimônio Mundial com base em um ou mais critérios que informam o valor universal do bem. A grande maioria das inscrições foi sustentada em dois ou mais critérios[31].

---

30. Cf. *Orientações*, parágrafo 77, itens (i) a (vi). Deve-se esclarecer que, até a 6ª Reunião Extraordinária do Comitê do Patrimônio Mundial, os critérios eram classificados entre aqueles pertinentes aos bens culturais; e aqueles pertinentes aos bens naturais. Após aquela reunião, os critérios foram unificados sob um mesmo parágrafo, sendo atualmente dez critérios.
31. Cf. Lista do Patrimônio Mundial. Disponível em: http://whc.unesco.org/en/list. Acesso em: 2 dez. 2011.

O Comitê adota também os critérios de representatividade e seletividade de modo a precisar a noção de valor universal excepcional. Assim, a representatividade assegura a escolha de bens que contemplem todas as áreas geográficas do mundo, e a seletividade, os bens que possam melhor expressar em cada região o valor universal excepcional[32].

Os critérios "autenticidade" e "integridade"

Nos primeiros anos de aplicação da Convenção, a interpretação do critério "autenticidade" fora realizada pelo Comitê do Patrimônio Mundial com base numa perspectiva europeia de proteção. A autenticidade foi interpretada no sentido de que um bem autêntico é um bem que mantém ao longo do tempo os seus aspectos exteriores inalterados – principalmente no que diz respeito às edificações urbanas, tornando-se secundário apurar se a sua utilização era a mesma na época em que foi concebido.

Essa interpretação observa os princípios da Carta de Veneza (1964) e foi consagrada como um dos princípios fundamentais que deveriam reger a proteção dos bens culturais imóveis durante os trabalhos preparatórios da Convenção. Em decorrência dessa interpretação, o Comitê adiou ou rejeitou proposições de inscrição de bens culturais que continham estruturas de madeira, adobe ou outros materiais frágeis, com base no critério autenticidade[33]. Isso porque, sendo altamente perecíveis, tais materiais são facilmente substituíveis, descaracterizando o conceito de autenticidade formulado pelo Comitê. Entretanto, em algumas ocasiões, o Comitê proferiu decisões que aparentemente não seguiram com rigor o critério de autenticidade, abrindo precedentes que, no futuro, permitirão a inscrição de bens em condições similares. É o caso da inscrição do centro histórico de Varsóvia, Polônia (C 30), comentada

---

32. Documento CC-81/Conf. 003/6, Unesco, Paris, 15 jan. 1982, p. 9.
33. "Authenticity and the World Heritage Convention". *The World Heritage Newsletter*, Paris: Unesco, n. 5, p.16, jun. 1994.

por Léon Pressouyre[34]: expressão do urbanismo medieval, o local foi totalmente dinamitado pelos nazistas durante a Segunda Guerra Mundial. Ao final do conflito, o centro histórico de Varsóvia foi reconstruído, atendendo a sua forma original.

O Comitê aceitou sua proposição de inscrição como exemplo único de reconstrução *ex nihilo* de um bem cultural, atendendo aos argumentos de desejo de enraizamento do povo polonês ao seu passado e dos excelentes métodos científicos empregados pelos arqueólogos e arquitetos poloneses para restauração daquele centro histórico. Assim, para o Comitê, a autenticidade manifestou-se por meio de técnicas empregadas para a reconstrução do bem.

Por outro lado, o Estado japonês que ratificou a Convenção em 30 de junho de 1992 introduziu uma interpretação diversa sobre o critério autenticidade, em razão de sua peculiar cultura, que se expressa, entre outras formas, por estruturas construídas com materiais perecíveis, como a madeira e o adobe[35].

Dada a impossibilidade da manutenção da integridade física dos bens imóveis de origem japonesa, por meio dos materiais originais, o conceito autenticidade naquele país caracteriza-se pela transmissão, para as futuras gerações, do *know-how* arquitetônico desenvolvido para a construção de templos, palácios e moradias. Pela perspectiva japonesa, a reconstituição total dos templos na sua forma original, pelos meios tradicionais de construção, é a verdadeira autenticidade de sua cultura[36]. Em face dessas duas concepções diversas a respeito da "autenticidade"– europeia e japonesa, ou talvez oriental – a Unesco e o ICOMOS, em 1994, organizaram um congresso em Nara (Japão) a fim de elaborar uma carta de princípios sobre a concepção e avaliação da autenticidade um bem cultural. Consequentemente, foi aprovada a Declaração de Nara (1994), cujos princípios foram incorporados nas *Orientações* do

---

34. *La Convention du Patrimoine Mondial, Vingt Ans Après*. Paris: Unesco, 1992, p. 12.
35. Léon Pressouyre, *op. cit.*, p. 12.
36. Eizo Inagaki. "Authenticity in the Context of Japanese Wooden Architecture". *The World Heritage Newsletter*, Paris: Unesco, n. 6, pp. 6-7, dez. 1994.

Comitê do Patrimônio Mundial. Entre eles, deve-se frisar a relação entre "autenticidade" e "diversidade cultural", por meio da qual não existe um critério ou diversos critérios fixos sobre a definição de "autenticidade", pois ela também deve ser avaliada no contexto cultural de cada sociedade. Assim, verifica-se a concepção de uma fórmula conciliatória e mais próxima da universalidade a respeito da "autenticidade"[37].

Portanto compreendem-se bens culturais autênticos, conforme as *Orientações*, os bens cujas fontes de informação relativas ao valor cultural possuem veracidade ou credibilidade. Nesse sentido, são consideradas "fontes de informação" todas as "fontes físicas, escritas, orais e figurativas que permitem conhecer a natureza, as especificidades, o significado e a história do patrimônio cultural."[38]

Relacionada ao critério da "autenticidade", outro critério que foi criado pelo Comitê do Patrimônio Mundial é o da "integridade", que se trata de uma avaliação do caráter intacto do bem cultural e das suas características, que, para a sua inscrição na Lista do Patrimônio Mundial, deve possuir todos os elementos necessários que expressem o seu "valor universal excepcional."[39]

A proteção nacional do bem

As medidas protetoras exigidas pelo Comitê do Patrimônio Mundial atendem às disposições da seção II da Convenção, que disciplina as obrigações estatais para com a proteção do patrimônio cultural. As medidas são várias, destacando-se aquelas de caráter legislativo em âmbito nacional e outras, em razão de peculiaridades que envolvam o bem cultural.

---

37. A Declaração de Nara (1994) foi elaborada por 45 participantes reunidos na Conferência de Nara sobre Autenticidade em Relação à Convenção Relativa ao Patrimônio Mundial, Cultural e Natural, de 1972, realizada entre 1 a 6 nov. 1994, organizada pelo Governo Japonês em cooperação com a Unesco, ICCROM e ICOMOS. O texto final foi elaborado pelos relatores Mr. Raymond Lemaire e Mr. Herb Stovel. Cf. Declaração de Nara (1994). Disponível em: http:/www.international.icomos.org. Acesso em: 30 nov. 2011.
38. *Orientações*, parágrafos 80 e 84.
39. Este critério está previsto entre os parágrafos 87 a 95 das *Orientações*.

INVENTÁRIO DOS BENS CULTURAIS: LISTA INDICATIVA[40]

A lista indicativa[41], ou inventário dos bens culturais, é um instrumento de importância estratégica a serviço do Comitê do Patrimônio Mundial para seleção dos bens culturais de "valor universal excepcional".

A lista indicativa é uma seleção prévia dos bens culturais que poderão ser inscritos na Lista do Patrimônio Mundial e que os Estados são incentivados a elaborarem a cada dez anos. O bem inscrito na lista indicativa pode ser objeto de uma assistência preparatória a ser executada pelo Comitê do Patrimônio Mundial.

A escolha seletiva e representativa dos bens culturais, conforme exposta no item "Valor universal excepcional e representatividade e seletividade", é feita segundo as várias listas indicativas fornecidas pelos Estados interessados ao Comitê do Patrimônio Mundial. As listas indicativas asseguram ao Comitê, mediante a comparação entre os bens culturais situados em diversos Estados, selecionar o bem cultural que melhor corresponda aos critérios exigidos para a inscrição na Lista do Patrimônio Mundial[42].

A LEGITIMIDADE PARA PROPOR A INSCRIÇÃO DE UM BEM CULTURAL NA LISTA DO PATRIMÔNIO MUNDIAL

Os Estados-partes na Convenção são os sujeitos de Direito Internacional reconhecidos pelo Comitê como partes legítimas para requererem a inscrição de um bem cultural na Lista do Patrimônio Mundial. Esse posicionamento, firmado pelo Comitê em sua primeira sessão, tem como fundamento o artigo 11, parágrafo 1º, da Convenção, que confere somente aos Estados-partes a tarefa de apresentarem, "na medida do possível", inventários dos bens situados em seu território e que possam ser incluídos na Lista do Patrimônio Mundial.

---

40. Artigo 11, parágrafo 2º, da Convenção.
41. Cf. Parágrafos 62 a 76 das *Orientações*.
42. Documento SC/84/Conf. 004, Unesco, Buenos Aires, 2 nov. 1984, p. 8.

Na mesma ocasião, o Comitê do Patrimônio Mundial deliberou que os bens culturais situados em território de Estado não signatário da Convenção e em territórios não nacionais, como a sede das Nações Unidas em Nova York e a região da Antártida, não poderiam constar da Lista do Patrimônio Mundial[43].

Trata-se de um posicionamento coerente com os princípios que serviram de parâmetro para a formulação da Convenção, entre eles o de que a base da proteção deveria residir nos Estados.

Entretanto, a inscrição da "cidade velha de Jerusalém e suas muralhas" (C 148), deliberada pelo Comitê, desconsiderou controvérsias sobre qual Estado exerce a soberania territorial sobre aquele bem.

A inscrição da "cidade velha de Jerusalém e suas muralhas" na Lista do Patrimônio Mundial

Uma das decisões mais controvertidas do Comitê foi a inscrição da cidade velha de Jerusalém e suas muralhas, proposta pelo governo hachemita da Jordânia, durante a primeira sessão extraordinária ocorrida em Paris em setembro de 1981[44].

Na ocasião, a proposta sofreu forte oposição dos Estados Unidos, com a alegação de que o Estado de Israel, pelo fato de ser o responsável pela administração do local e controlador de fato da área, deveria ser consultado sobre a inscrição do bem, pois o parágrafo 3º do artigo 11 da Convenção prescreve que a "inclusão de um bem na Lista do Patrimônio Mundial não poderá ser feita sem o consentimento do Estado interessado".

Presente à sessão, a delegação jordaniana argumentou que Jerusalém representava as religiões judaica, cristã e islâmica e que seu governo não se utilizava do Comitê ou de suas deliberações para reivindicações políticas: Jerusalém é um patrimônio comum da humanidade e seu estatuto não pode ser decidido no âmbito do Comitê.

---

43. Documento CC-77/Conf. 001/9, Unesco, Paris, 30 set. 1977, p. 4.
44. Sobre o teor dos debates a respeito da inscrição da cidade velha de Jerusalém e suas muralhas, cf. documento CC-81/Conf. 008/2, Unesco, Paris, 30 set. 1981.

O Comitê rejeitou as alegações dos Estados Unidos, argumentando que a delegação israelense não poderia participar da reunião e, consequentemente, ser consultada, pois o Estado de Israel não era Estado-parte na Convenção. Alegou ainda o Comitê que a cidade velha de Jerusalém e suas muralhas constituem um "marco histórico", cuja preservação era imprescindível, em consideração à síntese de diversas manifestações de distintos períodos históricos.

No curso dos debates, as delegações não fizeram qualquer ressalva sobre a competência do reino da Jordânia para fazer a propositura. Muitos oradores evocaram mesmo que o parágrafo 3º do artigo 11 da Convenção assegura a inclusão de um bem na Lista do Patrimônio Mundial, objeto de reivindicação de soberania ou jurisdição por parte de vários Estados sem prejudicar os direitos das partes em litígio.

Ao final, a inscrição foi deferida por catorze votos a favor, um contra e cinco abstenções[45].

---

45. É importante registrar o posicionamento e a justificativa das delegações que marcaram presença durante aquela sessão (cf. documento CC-81/Conf. 008/2, anexo IV):
    a – Abstenções:
    Austrália: por considerar o regime jurídico de Jerusalém indefinido e sua soberania, não resolvida. Portanto, uma decisão favorável à inscrição poderia levar a uma politização que ameaçasse a reputação e a eficácia do Comitê e da convenção. Não obstante, reconhece a grande importância da cidade velha de Jerusalém;
    França: sem desconhecer, entretanto, o valor universal do sítio de Jerusalém do ponto de vista da história, da cultura e da religião;
    Itália: sem desconhecer o alto valor religioso (judaico, cristão e muçulmano) e cultural dos povos daquela região.
    b – Favoráveis:
    Chipre: por considerar a cidade excepcional do ponto de vista religioso e cultural. Endossa os argumentos da delegação jordaniana no sentido de que a inscrição não possui nenhum outro significado a não ser nos termos objetivados pela convenção;
    Egito: por atender às disposições da convenção e por considerar Jerusalém ocupada um território árabe, sobre o qual deve ser exercida a soberania árabe;
    República Federal da Alemanha (hoje República Alemã): pelo "valor universal excepcional" que o sítio representa, sem que essa propositura seja atribuída a um Estado particular;
    Nepal: por razões puramente culturais, ao reconhecer o "valor universal excepcional" do bem. Esse voto favorável em algum momento pode ser considerado um reconhecimento da soberania por parte de qualquer país;
    Suíça: por considerar a importância cultural e histórica excepcional da cidade velha de Jerusalém; observa, contudo, que, em razão do plano de partilha das Nações Unidas de 1947, Jerusalém deveria pertencer a um Estado árabe palestino independente, não pertencendo, portanto, nem à Jordânia nem a Israel.
    c – Contrários:

O PROCEDIMENTO DE INSCRIÇÃO DE UM BEM CULTURAL NA LISTA DO PATRIMÔNIO MUNDIAL

Todo bem cultural pode ser inscrito na Lista do Patrimônio Mundial, cumprindo os critérios definidos pelo Comitê do Patrimônio Mundial e o requisito prévio do consentimento do Estado interessado[46].

O processo de inscrição demanda duas etapas distintas.

Na primeira, o Estado interessado inventaria o bem cultural e aplica as medidas necessárias para sua proteção. Essa etapa atende ao disposto na seção II da Convenção, que disciplina as obrigações a serem seguidas pelos Estados signatários para a proteção do patrimônio cultural. A proteção nacional é executada mediante uma política legislativa, e, dependendo das peculiaridades que envolvam o bem, o Estado requerente propõe um plano de gestão para uma proteção mais eficaz[47].

Na segunda etapa, a solicitação da inscrição do bem cultural é submetida ao exame e à deliberação do Comitê após prévia consulta ao ICOMOS. O Comitê poderá deferir ou rejeitar a proposta de inscrição do bem[48] após prévia consulta ao Estado interessado[49]. Em várias ocasiões, o Comitê reconheceu o valor universal excepcional do bem cultural proposto, mas adiou a inscrição até que o Estado interessado tomasse medidas adequadas de proteção[50].

Estados Unidos: reconhecem o valor cultural, histórico e universal de Jerusalém, mas observam que essa decisão é marcada por um certo grau de politização e contraria os parágrafos 1º e 3º do artigo 11 da Convenção.
46. Convenção Relativa à Proteção do Patrimônio Mundial, Cultural e Natural, de 1972, artigo 11.
47. Cf. Parágrafos 96 a 119 das *Orientações*.
48. Convenção Relativa à Proteção do Patrimônio Mundial, Cultural e Natural, de 1972, artigo 11, parágrafo 2º.
49. *Id.*, artigo 11, parágrafo 6º.
50. São os casos da cidade-mesquita de Bagehart (C 321), Bangladesh, em que o Comitê condicionou a inscrição desde que as autoridades daquele país mudassem o traçado de uma rodovia projetada para ser construída no interior do bem cultural; e das ruínas do mosteiro budista Vihara de Paharpur (C 322), Bangladesh, inscrição adiada até que as autoridades daquele país suspendessem a prospecção mineral próxima do mosteiro. Cf. Documento SC/84/Conf. 004/9, Unesco, Buenos Aires, 2 nov. 1984, pp. 16-18.

A inscrição do patrimônio cultural de cidades brasileiras foi proposta pelo governo federal por intermédio do Ministério das Relações Exteriores mediante dossiês encaminhados ao ICOMOS, instruídos com o nome do patrimônio e dos bens que o constituem, sua localização geográfica, as medidas de proteção e a justificativa de seu "valor universal excepcional".

Esses dossiês inicialmente foram preparados pela extinta Secretaria do Patrimônio Histórico e Artístico Nacional (Sphan), órgão federal competente para tombar bens culturais em âmbito nacional[51].

Os exemplos de Ouro Preto (MG), Olinda (PE), Salvador (BA), Congonhas (MG), Brasília (DF), São Luís (MA), Diamantina (MG), Cidade de Goiás (GO) e São Cristóvão (SE)

Conjunto arquitetônico e urbanístico de Ouro Preto (MG) (C 124), 1980[52]

O conjunto arquitetônico e urbanístico de Ouro Preto, antiga cidade de Vila Rica, foi inscrito na Lista do Patrimônio Mundial por representar um dos mais importantes centros históricos do estilo barroco do século XVIII, cujo período foi denominado "Idade do Ouro".

A antiga Vila Rica, fundada em 1738, teve seu ápice durante o século XVIII e desenvolveu um estilo barroco peculiar em relação às outras áreas do Brasil. Atualmente, é o testemunho de importante ciclo histórico da mineração do ouro e de outros metais preciosos.

Esses foram os principais argumentos apresentados pelo governo brasileiro para a inscrição do bem na Lista do Patrimônio Mundial. O Comitê do Patrimônio Mundial deferiu a inscrição do patrimônio cultural daquela cidade com base nos critérios (i) e (iii): a cidade contém

---

51. A Sphan foi extinta pela Lei nº 8.029/90, sendo suas atribuições transferidas para o Instituto Brasileiro do Patrimônio Cultural (IBPC). Atualmente, o órgão federal responsável pela proteção dos bens culturais é o Instituto do Patrimônio Histórico e Artístico Nacional (Iphan).
52. Dossiê apresentado pelo governo brasileiro para instruir a inscrição do conjunto arquitetônico e urbanístico de Ouro Preto, elaborado por Luiz Gonzaga Teixeira, pp. 1-17.

importante acervo das obras de Aleijadinho, características do estilo barroco e representa importante período da história da colonização das Américas.

Quanto às medidas de proteção, o governo brasileiro argumentou que o centro urbano havia sido tombado nos termos do Decreto-Lei nº 25/37[53].

Centro histórico de Olinda (PE) (C 189), 1982

O centro histórico da cidade de Olinda foi inscrito na Lista do Patrimônio Mundial durante a 6ª sessão do Comitê do Patrimônio Mundial.

O ICOMOS, por parecer proferido em maio de 1982, opinou pelo adiamento da inscrição, argumentando, entre outros motivos, que as autoridades brasileiras não demonstraram claramente os meios a serem implementados para a proteção do centro histórico[54].

Entretanto, o dossiê elaborado pelo governo brasileiro e o parecer do ICOMOS convergiram em suas conclusões sobre o inegável "valor universal excepcional" do bem.

Fundada em 1537 pelo português Duarte Coelho, Olinda teve rápido desenvolvimento devido ao cultivo da cana-de-açúcar na região nordestina[55].

Apesar de numerosos ataques estrangeiros nos séculos XVI e XVII, que provocaram saques e destruição da cidade, subsiste um conjunto das mais antigas casas e igrejas da América[56]. A cidade ainda conserva em suas colinas construções que testemunham os períodos colonial e imperial do Brasil[57].

---

53. O conjunto histórico foi tombado primeiramente no Livro Belas-Artes, em 20 jan. 1938; processo 070-T-38; número de inscrição, 39; número da folha, 8. Posteriormente, em 15 jan. 1986, ocorreram dois tombamentos: o primeiro, no Livro Histórico, v. 1; número de inscrição, 512; número da folha, 98; e o segundo, no Livro Arqueológico, Etnográfico e Paisagístico; número de inscrição, 98; número da folha, 47.
54. Parecer do ICOMOS, Paris, maio 1982, p. 2.
55. Ibid., p. 1.
56. Dossiê para instruir a inscrição do centro histórico de Olinda na Lista do Patrimônio Mundial, caderno nº 1, anexo 9, item 5: "Justificativa da inscrição na 'Lista do Patrimônio Mundial' – Bem Cultural", p. 59.
57. Dossiê para instruir a inscrição do centro histórico de Olinda na Lista do Patrimônio Mundial, cader-

Em seu parecer, o próprio ICOMOS reconheceu que o essencial do tecido urbano da cidade data do século XVIII[58].

Com base nesses dados, o centro histórico da cidade foi inscrito na Lista do Patrimônio Mundial sob os critérios (ii) e (iv), por reunir, em suas construções, estágios significativos da história do Brasil e do continente americano.

Em âmbito federal, à época de sua inscrição, o centro histórico havia sido tombado pelo Sphan, sob o título "Acervo Arquitetônico e Urbanístico da Cidade de Olinda"[59]. A cidade também foi erigida à categoria de "monumento nacional" em 1980[60]. Na esfera municipal, cabe destacar a Lei nº 4.119/79[61], que criou o Conselho para a Preservação dos Sítios Históricos de Olinda, órgão competente para tombar os bens imóveis e móveis da cidade[62], o Centro para a Preservação dos Sítios Históricos de Olinda, para exercer a proteção dos bens culturais tombados nos termos da lei municipal[63], o instituto do tombamento no município[64], e o Fundo para a Preservação dos Bens Culturais de Olinda[65].

Centro histórico de Salvador (BA) (C 309), 1985

Em 1985, é inscrito o centro histórico de Salvador com base nos critérios (iv) e (vi). Na ocasião, o governo brasileiro sustentou que Salvador conservava a estrutura urbana original do século XVI[66].

---

no nº 1, anexo 9, item 5: "Justificativa da inscrição na 'Lista do Patrimônio Mundial' – Bem Cultural", p. 57.
58. Parecer do ICOMOS, Paris, maio 1982, p. 2.
59. Inicialmente, o acervo arquitetônico e urbanístico da cidade de Olinda foi tombado nos termos do Decreto-Lei nº 25/37, no Livro Belas-Artes, 1, sob o número 487, em 19 abr. 1968; e, na mesma data, no Livro Histórico, 1, sob o número 412; Livro Arqueológico, Etnográfico e Paisagístico, sob o número 44. Quanto a este último, outro tombamento foi realizado para ampliar a área protegida em 4 jun. 1979, inscrita sob o número 75, no Livro Arqueológico, Etnográfico e Paisagístico.
60. Lei nº 6.863, de 26 nov. 1980, publicada no DOU em 27 nov. 1980.
61. Lei nº 6.863, de 26 nov. 1980, publicada no DOU em 27 nov. 1980.
62. Lei Municipal nº 4.119/79, artigo 2º, I.
63. Ibid., artigo 10, caput.
64. Ibid., artigos 14 a 23.
65. Ibid., artigos 24 a 28.
66. Dossiê para instruir a inscrição do centro histórico de Salvador na Lista do Patrimônio Mundial, item 5: "Justificativa da inscrição na 'Lista do Patrimônio Mundial' – Bem Cultural", p. 91.

A cidade foi um centro administrativo e econômico dos mais notáveis do Brasil entre a metade do século XVI e a metade do século XVIII, destacando-se, para tanto, a posição estratégica de seu porto, considerado um dos mais importantes do mundo português durante o Brasil Colônia, ponto de convergência entre o comércio português e os países ultramarinos[67].

O ICOMOS reiterou o posicionamento brasileiro, acrescentando que o centro histórico de Salvador deveria ser inscrito com base no critério (iv), por ser um eminente exemplo de estrutura urbana da Renascença, tornando-se, pela densidade dos monumentos reunidos, a capital por excelência do nordeste brasileiro. Por outro lado, a inscrição do bem cultural com base no critério (vi) devia-se ao fato, segundo o ICOMOS, de ser um dos principais pontos de convergência das culturas europeias, africanas e ameríndias dos séculos XVI a XVIII[68].

O centro histórico de Salvador havia sido tombado pelo Sphan em julho de 1984[69]. Anteriormente, a Lei Municipal nº 3.289/83 disciplinava os meios de proteção de bens culturais já tombados individualmente pelo Sphan.

Santuário de Bom Jesus de Matozinhos, Congonhas (MG) (C 334), 1985

Congonhas, em Minas Gerais, representa a típica cidade brasileira da "Idade do Ouro", que encontrou seu ápice em meados do século XVIII.

Nessa cidade encontra-se um conjunto arquitetônico e escultural construído por Antônio Francisco Lisboa, o Aleijadinho, considerado o principal artista americano da época colonial[70]. O conjunto arquitetô-

---

67. Ibid., p. 92.
68. Parecer do ICOMOS, jul. 1985, pp. 2-3.
69. Tombado no Livro Arqueológico, Etnográfico e Paisagístico, sob número 86, em 19 jul. 1984, nos termos do Decreto-Lei nº 25/37.
70. Dossiê para instruir a inscrição do santuário de Bom Jesus de Matozinhos na Lista do Patrimônio Mundial, p. 49.

nico compreende a Igreja de Bom Jesus, cuja construção foi finalizada em 1772, o átrio, decorado com as doze estátuas dos profetas do Antigo Testamento, esculpidas entre 1800 e 1805, e os passos, isto é, as sete estações da Via Crúcis, alojadas em pequenas capelas, igualmente esculpidas por Aleijadinho, entre 1796 e 1800[71].

Em seu conjunto, as obras de Aleijadinho representam um estilo barroco brasileiro próprio, típico, entre o final do século XVIII e o início do século XIX, distinto do barroco europeu. Como bem salientou, no dossiê brasileiro, Marcos Vinicios Vilaça, as obras do genial artista são as "últimas expressões de valor universal das artes religiosas e da tradição contra-reformista"[72].

Em síntese, o governo brasileiro realçou a importância de Aleijadinho na história universal da arte e enfatizou o conjunto de sua obra em Congonhas como representativa de um estilo barroco único e de criação artística única, sem igual.

A proposição de inscrição foi justificada com fundamento nos critérios (i), por "representar uma realização artística única, uma verdadeira obra de arte do espírito criador humano", e (v), porque associada às crenças e a eventos de significativa importância.

O ICOMOS acolheu os argumentos do Brasil, sustentando, porém, a inscrição com base nos critérios (i) e (iv), aceitos pelo Comitê do Patrimônio Mundial.

Do ponto de vista jurídico e administrativo, o governo brasileiro ofereceu ao Comitê a garantia de que o bem estava tombado em nível federal, com base nos artigos 17 e 18 do Decreto-Lei nº 25/37, e em nível estadual, de acordo com a Lei nº 5.775/71.

Cabe mencionar que no dossiê elaborado pelo Sphan as autoridades municipais informaram sobre a instalação de um serviço de iluminação na área para facilitar o acesso do público, bem como sobre a criação de um serviço de polícia exclusivo para a salvaguarda do conjunto[73].

---

71. Parecer do ICOMOS, pp. 1-2.
72. Dossiê para instruir a inscrição do santuário de Bom Jesus de Matozinhos na Lista do Patrimônio Mundial, pp. 50-51.
73. Id., p. 47.

Conjunto urbanístico de Brasília (DF) (C 445), 1987

Brasília é a primeira cidade moderna inscrita na Lista do Patrimônio Mundial. O plano da cidade, idealizado por Lúcio Costa, segue os princípios básicos da Carta de Atenas de 1933[74]. Uma cidade estruturada em áreas, cada qual com uma função específica (área monumental, onde se concentram os prédios da administração, área residencial, área gregária e área de lazer), separadas por vastos espaços naturais que se comunicam pelo traçado das grandes vias.

A inscrição de Brasília na Lista do Patrimônio Mundial é coerente com a expressão "patrimônio cultural" adotada pela Convenção, que abarca inúmeras formas de manifestações culturais sem uma delimitação temporal precisa.

No plano nacional, a inscrição de Brasília foi peculiar em relação a outras cidades brasileiras. O centro histórico de Ouro Preto e o santuário de Bom Jesus de Matozinhos eram bens culturais tradicionalmente protegidos em nosso ordenamento jurídico. O primeiro foi declarado monumento nacional em 1933[75]; o segundo, tombado no plano federal em 1939. A inscrição desses bens culturais na Lista do Patrimônio Mundial não produziu mudanças significativas no ordenamento jurídico brasileiro.

Brasília, pelo contrário, não possuía nenhuma política legislativa protetora até meados de 1987. Esta tem início por influência direta do processo de inscrição da cidade na Lista do Patrimônio Mundial.

Em maio de 1987, o parecer do ICOMOS foi favorável à inscrição da cidade, por reconhecer seu "valor universal excepcional", mas opinava pelo adiamento da inscrição até que as autoridades governamentais providenciassem condições mínimas para a salvaguarda do plano piloto[76].

Na reunião do *bureau* do Comitê do Patrimônio Mundial em junho de 1987, a delegação brasileira argumentou que havia um grupo de

---

74. Cf. capítulo II desta obra.
75. Decreto nº 22.928 de 12 jul. 1933.
76. Parecer do ICOMOS, maio 1987, p. 3.

trabalho constituído por representantes do Ministério da Cultura, do Sphan, do governo do Distrito Federal e da Universidade de Brasília, para concluir, em agosto daquele ano, estudo que subsidiasse a elaboração de uma legislação específica para a proteção do plano piloto[77].

Nesse sentido, o bureau recomendou a inscrição da cidade desde que as autoridades brasileiras adotassem uma legislação específica que assegurasse a proteção da criação urbana de Lúcio Costa e Oscar Niemeyer[78].

A fim de obter a inscrição ainda em 1987, o então governador do Distrito Federal, José Aparecido de Oliveira, editou o Decreto nº 10.829[79], em outubro daquele ano, explicitando o "conceito de bem cultural" protegido pelo plano piloto de Brasília[80]. O decreto assegurava a manutenção do plano piloto de Brasília mediante "... a preservação das características essenciais das quatro escalas distintas em que se traduz a concepção urbana da cidade: a monumental, a residencial, a gregária e a bucólica"[81].

Brasília foi inscrita na Lista do Patrimônio Mundial em 11 de dezembro de 1987, em razão dos critérios (i) e (iv). Posteriormente, em 1990, a área do plano piloto, tal qual definida pelo Decreto nº 10.829/87, foi tombada pelo Sphan[82], também sob a influência dessa inscrição, suscitando debate no sentido de saber se um bem cultural da espécie de Brasília, uma "cidade dinâmica e moderna"[83], poderia ser objeto de tombamento nos termos da legislação federal.

---

77. O resumo das negociações para a inscrição do patrimônio cultural de Brasília consta do telegrama enviado pelo então ministro das Relações Exteriores, Roberto de Abreu Sodré, ao governador do Distrito Federal, José Aparecido de Oliveira. Cf. dossiê para instruir a inscrição de Brasília na Lista do Patrimônio Mundial, telex datado de 1º jul. 1987, sem numeração.
78. Essa decisão consta do telex enviado pelo então ministro das Relações Exteriores, Roberto de Abreu Sodré, ao governador do Distrito Federal, José Aparecido de Oliveira, datado de 1º jul. 1987.
79. O texto do decreto foi publicado no Diário Oficial do Distrito Federal de 14 out. 1987, pp. 194-195.
80. O plano piloto de Brasília é definido pela Lei nº 3.751 de 13 abr. 1960.
81. Decreto nº 10.829/87, artigo 2º.
82. Tombado sob a denominação "Conjunto Urbanístico de Brasília Construído em Decorrência do Plano piloto", em 14 mar. 1990, processo 1.305-T-90; Livro Histórico, v. 2, número de folha, 17; número de inscrição, 532.
83. Expressão cunhada por Antônio Pedro Alcântara em parecer proferido em nome da Coordenadoria de Proteção do Sphan, em 20 fev. 1990, favorável ao tombamento do plano piloto. Cf. processo de tombamento instaurado pelo Sphan, pp. 64-71.

Centro histórico de São Luís (MA) (C 821), 1997

A representação brasileira defendeu a inscrição do centro histórico de São Luís pelo fato de representar uma construção arquitetônica única portuguesa do período colonial pela generosidade dos materiais empregados nas construções e pela utilização de materiais únicos, não encontrados em outras construções brasileiras daquele período, como os azulejos refinados utilizados na decoração e na proteção térmica[84]. O centro histórico, principal objeto da inscrição, compreende o núcleo original da cidade, que data do século XVII, e os quarteirões interiores, que retratam a expansão urbana e datam dos séculos XVIII e XIX[85]. Como prova do interesse na proteção, a representação brasileira alegou que, nos últimos vinte anos, foram recuperados dezenas de quarteirões, mais de duzentos edifícios de interesse histórico e dois grandes imóveis industriais do século XIX, adaptados às funções modernas[86]. A representação brasileira defendeu a inscrição do bem na categoria cultural, do tipo conjunto, conforme o artigo 1º da Convenção Relativa à Proteção do Patrimônio Mundial, Cultural e Natural, de 1972, mas não fez menção aos critérios previstos nas *Orientações*. Por último, alegou que o bem fora tombado nos termos do Decreto-Lei nº 25/37.

O ICOMOS recomendou a inscrição do bem com base nos critérios (iii), (iv) e (v), adotados pelo Comitê, com a seguinte observação: "O centro histórico de São Luís é um exemplo excepcional de cidade colonial portuguesa, adaptada às condições climáticas da América do Sul equatorial e preservada de forma notável com o seu tecido urbano harmoniosamente integrado ao seu meio ambiente natural[87]".

Centro histórico de Diamantina (MG) (C 890), 1999

Diamantina possui um conjunto arquitetônico e urbano típico dos séculos XVIII e XIX e representa o ápice da exploração de diamantes

---

84. Cf. parecer do ICOMOS, set. 1997, p. 6.
85. Ibid., p. 7.
86. Ibid., p. 6.
87. Ibid., p. 9. Tradução nossa.

ocorrida na mesma época. O centro histórico forma com a serra dos Cristais uma paisagem cultural que justifica a inscrição do conjunto na Lista do Patrimônio Mundial. Os critérios defendidos pela representação brasileira para fundamentar a inscrição foram: (ii) pelo fato de Diamantina representar um período do século XVIII permeado por descobertas do território brasileiro pelos aventureiros em busca de diamantes e pelos representantes da Coroa enviados à região, propiciando a formação de uma cultura extremamente original; (iv) pelo fato de o conjunto urbano de Diamantina apresentar uma situação mista de espírito aventureiro e de fonte de refinamento, características significativas da história humana; e (v), pelo fato de ser um dos últimos exemplos representativos da formação territorial e cultural do Brasil[88].

O Comitê adotou a inscrição do centro histórico com base nos critérios (ii) e (iv), adotando as mesmas razões apresentadas pela representação brasileira e pelo ICOMOS[89]. O centro histórico de Diamantina está tombado desde 1938.

Centro histórico da Cidade de Goiás (GO) (C 993), 2001

A Cidade de Goiás constitui um testemunho importante da ocupação e da colonização do interior do Brasil. A concepção urbana é um exemplo típico de uma cidade colonial adaptada às particularidades do meio ambiente com a utilização de materiais típicos da região, formando um conjunto único e notável.

A representação brasileira defendeu a inscrição com base nos critérios: (ii) pelo fato de a cidade representar o modo de vida adotado pelos exploradores e fundadores de cidades portuguesas e brasileiras em face da distância da mãe pátria e da costa brasileira; (v), pelo fato de representar o último exemplo de ocupação interior do território brasileiro da forma praticada nos séculos XVIII e XIX[90].

---

88. Cf. parecer do ICOMOS, set. 1999, p. 38.
89. *Ibid.*, p. 42.
90. Cf. parecer do ICOMOS, set. 2001, p. 6.

O ICOMOS defendeu a inscrição com base no critério (ii) porque o centro histórico é um exemplo de cidade europeia adaptada às condições climáticas, geográficas e culturais do centro da América do Sul, e no critério (iv) pelo motivo de aquele bem cultural representar uma estrutura urbana e arquitetônica típica das populações da América do Sul, que aproveitam da melhor forma possível o material retirado do meio ambiente aliado ao desenvolvimento de técnicas locais. Justificativas adotadas também pelo Comitê do Patrimônio Mundial[91].

Praça de São Francisco na Cidade de São Cristóvão (SE) (C1272), 2010

A Praça de São Francisco, localizada na cidade de São Cristóvão, capital de Sergipe até 1855, possui a configuração de um quadrilátero cercado por antigas edificações, de influência portuguesa e espanhola, tais como, a Igreja e Convento de São Cruz ou São Francisco, onde também funciona o Museu de Arte Sacra; a Igreja Matriz de Nossa Senhora das Vitórias; a Igreja do Rosário dos Homens Pretos e o denominado Conjunto Carmelita (composto pela Igreja e o Convento do Carmo e a Igreja da Ordem Terceira, comumente conhecida como Igreja do Nosso Senhor dos Passos); a Igreja e a Antiga Santa Casa de Misericórdia; e diversas casas que pertencem aos períodos históricos, sobretudo dos séculos XVIII e XIX, entre elas o sobrado do Balcão Corrido da Praça da Matriz. Este conjunto monumental e as casas criaram uma paisagem urbana que representa a história da cidade desde a sua origem, ao final do século XVI, bem como, o próprio complexo de São Francisco é um exemplo da arquitetura típica da ordem religiosa desenvolvida no nordeste do Brasil.

A cidade de São Cristóvão é tombada em âmbito federal pelo Iphan, desde 23 de janeiro de 1967, e inscrita no Livro do Tombo Arqueológico, Etnográfico e Paisagístico. Em âmbito estadual, por força do Decreto-lei número 94, de 22 de junho de 1938, foi declarada Cidade Histórica.

---

91. *Ibid.*, p. 9.

Em agosto de 2010, o Comitê do Patrimônio Mundial deliberou favoravelmente pela sua inscrição na Lista do Patrimônio Mundial, obedecendo aos critérios (ii) e (iv), previstos nas *Orientações*, considerando que a Praça de São Francisco representa um período da colonização luso-espanhola, em especial uma fusão de modelos urbanos decorrentes da influência desses povos, no período de unificação dos dois Estados sob uma mesma coroa, fundada sob o reinado de Felipe II da Espanha. Além disso, a Praça de São Francisco é um exemplo de um conjunto arquitetônico excepcional e harmonioso que deve ser protegido para assegurar relevantes manifestações sociais e culturais; entre elas, a venda das queijadas, doce típico fabricado na cidade. [92]

A INSCRIÇÃO DE UM BEM CULTURAL NA LISTA DO PATRIMÔNIO MUNDIAL EM PERIGO

Nas hipóteses em que são necessários grandes trabalhos para a salvaguarda de um bem cultural ameaçado por "perigos sérios e concretos" que poderão levá-lo ao seu desaparecimento, o Comitê poderá inscrevê-lo na Lista do Patrimônio Mundial em Perigo, quando então passará a ser objeto de assistência internacional imediata[93]. Como salienta Azedine Beschaouch[94], relator do Comitê do Patrimônio Mundial, em sua 16ª sessão, a inscrição de um bem na Lista do Patrimônio Mundial em Perigo não constitui uma sanção, mas a "constatação da condição de um bem que necessita de medidas de salvaguarda e de meios para assegurar os recursos para esse fim".

A inscrição de um bem na Lista do Patrimônio Mundial em Perigo apenas o inclui em uma outra categoria de bens, cuja assistência internacional é diferenciada daquela prestada aos bens inscritos na Lista do Patrimônio Mundial.

---
92. Cf. Lista do Patrimônio Mundial. Disponível em: http://whc.unesco.org/en/list. Acesso em: 2 dez. 2011.
93. Convenção Relativa à Proteção do Patrimônio Mundial, Cultural e Natural, de 1972, artigo 11, parágrafo 4º.
94. Documento WHC-92/Conf. 002/12, Unesco, Paris, 14 dez. 1992, anexo II, p. 10. Tradução nossa.

As hipóteses discriminadas na Convenção que motivam a inscrição de um bem cultural na Lista do Patrimônio Mundial em Perigo[95] são as seguintes: "ameaça de desaparecimento devido à degradação acelerada; projetos de grandes obras públicas ou privadas; rápido desenvolvimento urbano e turístico; destruição devida à mudança de utilização ou de propriedade de terra; alterações profundas devidas a uma causa desconhecida; abandono por quaisquer razões; conflito armado que haja irrompido ou ameace irromper; catástrofes e cataclismos; grandes incêndios; terremotos; deslizamentos de terrenos; erupções vulcânicas; alteração do nível das águas; inundações e maremotos".

As *Orientações* complementam as hipóteses de inscrição dos bens culturais na Lista do Patrimônio Mundial em Perigo. Essas hipóteses compreendem dois grupos: "perigo comprovado" e "perigo potencial."[96].

As pertencentes ao primeiro grupo são as seguintes: "grave deterioração do material; grave deterioração da estrutura e/ou das características ornamentais; grave deterioração da coerência arquitetônica e urbanística; grave deterioração do espaço urbano ou rural, ou do ambiente natural; perda significativa da autenticidade histórica; grave perda da importância cultural".

As hipóteses que caracterizam perigo iminente são: "modificação da condição jurídica do bem de forma que diminua seu grau de proteção; carência de uma política de proteção; efeitos ameaçadores dos projetos de planejamento territorial; efeitos ameaçadores do planejamento urbano; eclosão ou ameaça de conflito armado; mudança progressiva em virtude de fatores geológicos, climáticos ou outras causas ambientais".

Até dezembro de 2011, 35 bens culturais e naturais estavam inscritos na Lista do Patrimônio Mundial em Perigo[97]. A cidade velha de Dubrovnik, na Iugoslávia (C 95), é a primeira inscrita por força de conflito armado, hipótese prevista pela Convenção[98, 99].

---

95. Artigo 11, parágrafo 4º.
96. *Orientações*, parágrafo 179, alíneas "a" e "b".
97. Lista do Patrimônio Mundial em Perigo. Disponível em: http://whc.unesco.org/en/danger. Acesso em: 2 dez. 2011.
98. Artigo 11, parágrafo 4º, da Convenção.
99. A respeito da decisão do Comitê do Patrimônio Mundial sobre a inscrição da cidade velha de Dubrovnik, Cf. documento SC-91/Conf. 002/15, Unesco, Paris, 12 dez. 1991, p. 8.

Procedimento para inscrição de um bem cultural na Lista do Patrimônio Mundial em Perigo

Uma vez proposta a inscrição de um bem cultural na Lista do Patrimônio Mundial em Perigo, o Comitê adotará um programa de meios corretivos para a sua salvaguarda desde que o Estado responsável seja consultado. A elaboração desse programa motiva o Comitê a solicitar que o Estado requerente preste informações sobre o estado atual do bem, os perigos que o ameaçam e a real possibilidade de aplicação de medidas protetoras para sua salvaguarda.

O fornecimento de tais informações não impede que o Comitê envie uma missão de observadores qualificados, do ICOMOS ou de outra organização, para avaliação do real estado do bem e proponha os meios necessários para sua proteção em relação aos perigos que o ameaçam[100].

Apuradas essas informações, o Comitê deliberará sobre a inclusão ou não do bem na Lista do Patrimônio Mundial em Perigo[101].

A inclusão do bem na Lista do Patrimônio Mundial em Perigo terá "difusão imediata", sendo o Estado responsável informado da decisão com a maior brevidade[102].

A assistência internacional, em princípio, consiste no fornecimento de importância significativa, pelo Fundo do Patrimônio Mundial, para financiamento dos meios necessários para a proteção do bem, e na instituição de um sistema de acompanhamento por parte de *experts* que examinarão regularmente as condições do bem[103].

Com base nos exames regulares do bem, decorrentes desse sistema de acompanhamento, o Comitê, após prévia consulta ao Estado responsável, poderá tomar qualquer uma das seguintes medidas: constatar se há necessidade de medidas adicionais para a salvaguarda do bem; excluir o bem da Lista do Patrimônio Mundial em Perigo, se verificado

---

100. *Orientações*, parágrafo 184.
101. É necessário observar que qualquer decisão para inclusão do bem cultural na lista requer o quorum de dois terços dos membros presentes e votantes do Comitê. Cf. artigo 13, parágrafo 8º, da Convenção.
102. Convenção Relativa à Proteção do Patrimônio Mundial, Cultural e Natural, de 1972, artigo 11, parágrafo 4º.
103. *Orientações*, parágrafos 189 e 190.

o desaparecimento do perigo que o ameaçava; excluir o bem de ambas as listas, se constatada a perda das características que motivaram a sua inscrição na Lista do Patrimônio Mundial[104].

A SANÇÃO: EXCLUSÃO DO BEM CULTURAL DA LISTA DO PATRIMÔNIO MUNDIAL

A exclusão do bem cultural da Lista do Patrimônio Mundial é admissível em duas hipóteses: quando o bem deteriorado perde as características que deram causa a sua inscrição na Lista do Patrimônio Mundial[105], ou nos casos em que as qualidades intrínsecas do bem cultural foram ameaçadas, na época de sua inscrição, pela ação do homem, e os meios corretivos necessários apresentados pelo Estado--parte não foram executados no prazo proposto[106].

A primeira hipótese decorre da própria concepção da Lista do Patrimônio Mundial: a inscrição de um bem cultural, à luz da Convenção, é legítima quando constatado seu "valor universal excepcional", de acordo com os critérios estabelecidos pelo Comitê do Patrimônio Mundial. Portanto, sem as características que permitam o enquadramento do bem cultural em qualquer um daqueles critérios, cessam as condições que legitimaram sua inscrição.

A segunda hipótese decorre das obrigações impostas pela Convenção aos Estados-partes. A não-execução das medidas protetoras fere as disposições contidas na seção II da Convenção.

O não-cumprimento das obrigações significa a ruptura do pacto de compromissos mútuos[107], um dos fundamentos teóricos da Convenção Relativa à Proteção do Patrimônio Mundial, Cultural e Natural, de 1972. O pacto de compromissos mútuos compreende uma relação entre Estados e comunidade internacional, que se obrigam a proteger o pa-

---

104. *Orientações*, parágrafo 191, alíneas "a", "b" e "c".
105. *Orientações*, parágrafo 192, alínea "a".
106. *Orientações*, parágrafo 192, alínea "b".
107. Documento 16c/19, anexo, Unesco, Paris, jul. 1970, p. 11.

trimônio cultural da humanidade. Nesse sentido, a Convenção contém uma seção (II) destinada a disciplinar as obrigações estatais protetoras dos bens culturais, e uma outra seção (V), a estabelecer os benefícios oferecidos pela comunidade internacional em contrapartida à proteção nacional, o que constitui um regime de cooperação internacional.

O rompimento desse pacto legitima a comunidade internacional, representada pelo Comitê do Patrimônio Mundial, a excluir o bem cultural da Lista do Patrimônio Mundial e a se abster de prestar a cooperação internacional.

Até 2011, apenas dois bens foram excluídos da Lista do Patrimônio Mundial. Em 2007, durante a reunião do Comitê do Patrimônio Mundial, foi deliberada a exclusão do Arabian Oryx Sanctuary (Omã) (N 654), em virtude de empreendimentos que levaram a redução do território do santuário e a perda da sua integridade, colocando sob ameaça de extinção diversas espécies da fauna e da flora da região, em especial uma rara espécie de antílope; e, em 2009, a exclusão de Dresden Elbe Valley (Alemanha) (C 1156), em virtude de um projeto de construção da ponte de Waldschlösschen que poderia acarretar um dano irreversível ao bem, inclusive com a perda da sua integridade[108].

---

108. Cf. documento WHC-07/31.COM/24. Unesco, Paris, 31 jul. 2007, pp. 50-51; e Documento WHC-09/33. COM/20. Unesco, Sevilha, 20 jul. 2009, pp. 44-45.

5

A CONVENÇÃO RELATIVA À PROTEÇÃO DO PATRIMÔNIO MUNDIAL, CULTURAL E NATURAL, DE 1972, E A PROTEÇÃO NACIONAL DOS BENS CULTURAIS: O EXEMPLO DO BRASIL

Centro Histórico de São Luís, Maranhão.

A proteção do patrimônio cultural é tarefa primordial do Estado interessado. O preâmbulo da Convenção dispõe que a responsabilidade pela proteção do patrimônio cultural cabe à coletividade internacional "sem substituir a ação do Estado interessado".

As obrigações destinadas aos Estados para a proteção do seu patrimônio cultural estão enumeradas na seção II da Convenção. O artigo 4º da Convenção dispõe que cada um dos Estados-partes na Convenção reconhece a obrigação de "identificar, proteger, conservar, valorizar e transmitir às futuras gerações o patrimônio cultural" mencionado em seu artigo 1º. O artigo 5º aponta as medidas necessárias a serem executadas por cada Estado para atender àquelas finalidades.

A Convenção não especifica as medidas jurídicas a serem tomadas pelos Estados[1]. As eventuais medidas a serem adotadas ficam a critério de cada Estado, em respeito à soberania política e territorial de cada um[2], observando-se as orientações da Recomendação sobre a Proteção, em Âmbito Nacional, do Patrimônio Cultural e Natural, de 1972.

O patrimônio cultural das cidades brasileiras inscritas na Lista do Patrimônio Mundial foi tombado nos termos do Decreto-Lei nº 25/37. À exceção de Brasília (DF), o instituto do tombamento foi a medida jurídica oferecida pelo governo brasileiro como garantia de proteção das cidades de Ouro Preto (MG), Congonhas (MG), Olinda (PE), Salvador (BA), São Luiz (MA), Diamantina (MG), Cidade de Goiás (GO) e São Cristóvão (SE) para a inscrição na Lista do Patrimônio Mundial.

---

1. Convenção Relativa à Proteção do Patrimônio Mundial, Cultural e Natural, de 1972, artigo 5º, alínea "d".
2. *Ibid.*, artigo 6º, parágrafo 1º.

As constituições brasileiras e a proteção dos bens culturais imóveis

As constituições brasileiras de 1824 e 1891 eram omissas quanto à proteção dos bens culturais imóveis.

A primeira referência àquela categoria de bens é encontrada na Constituição de 1934, ao dispor que "compete concorrentemente à União e aos estados proteger as belezas naturais e os monumentos de valor histórico ou artístico, podendo impedir a evasão de obras de arte"[3]. Excluído do campo das competências federativas, ao Município era vedada a ação normativa para a proteção dos bens culturais.

A Constituição de 1937 dispunha de dispositivo semelhante, mas conferia aos municípios a responsabilidade pela proteção dos bens culturais: "Os monumentos históricos, artísticos e naturais, assim como as paisagens ou os locais particularmente dotados pela natureza, gozam da proteção e dos cuidados especiais da Nação, dos estados e dos municípios. Os atentados contra eles cometidos serão equiparados aos cometidos contra o patrimônio nacional"[4].

A mesma sistemática foi adotada pela Constituição de 1946, ao fazer referência à expressão "poder público", do que se infere a responsabilidade da União, dos Estados e dos municípios pela proteção: "As obras, monumentos e documentos de valor histórico e artístico, bem como os monumentos naturais, as paisagens e os locais dotados de particular beleza ficam sob a proteção do poder público"[5].

A Constituição de 1967 inovou em relação a suas predecessoras ao incluir sob a tutela constitucional as jazidas arqueológicas: "Ficam sob a proteção especial do poder público os documentos, as obras e os locais de valor histórico ou artístico, os monumentos e as paisagens naturais notáveis, bem como as jazidas arqueológicas"[6].

---

3. Constituição de 1934, artigo 10º, III.
4. Constituição de 1937, artigo 134.
5. Constituição de 1946, artigo 175.
6. Constituição de 1967, artigo 172, parágrafo único.

Disposição de redação idêntica manteve-se no artigo 180 da Emenda Constitucional nº 1, de 17 de outubro de 1969.

A Constituição de 1988

A Constituição de 1988 trouxe várias inovações em relação às constituições anteriores.

O artigo 216 utiliza a expressão "patrimônio cultural", dando-lhe conteúdo, ao especificar os bens culturais que ele abriga – "Os bens de natureza material e imaterial, tomados individualmente ou em conjunto, portadores de referência à identidade, à ação, à memória dos diferentes grupos formadores da sociedade brasileira" –, para, a seguir, enumerá-los nos incisos daquele mesmo dispositivo.

Em relação aos bens culturais imóveis, abandona a noção de monumentalidade que permeava as constituições anteriores[7]. Os monumentos representam as grandes realizações humanas, daí a expressão "notáveis", anteriormente cunhada, que denota bens grandiosos, significativos.

Assim, a Constituição reconhece como bens culturais imóveis as "edificações e demais espaços destinados às manifestações artístico-culturais". Tais manifestações são aquelas provenientes "das culturas populares, indígenas e afro-brasileiras, e das de outros grupos participantes do processo civilizatório nacional"[8]. Em outras palavras, bem cultural imóvel é o local que permite qualquer tipo de manifestação da cultura brasileira ou, como aponta Carlos Frederico Marés[9], da "diversidade cultural brasileira", ao dar relevância jurídica às manifestações arroladas no artigo 216.

Outra inovação importante encontra-se no inciso V do artigo 216. As constituições anteriores apenas faziam referência aos monumentos ou obras "históricas" ou "artísticas". Nesse aspecto, a atual Constituição

---

7. "A Proteção Jurídica dos Bens Culturais". *Cadernos de Direito Constitucional e Ciência Política*, n. 2, p. 23, jan.-mar. 1993.
8. Constituição de 1988, artigo 216, parágrafo 1º.
9. *Id., ibid.*

amplia o universo dos bens culturais imóveis, conferindo-lhes maiores qualificações, ao reconhecer os conjuntos urbanos e sítios também de valor paisagístico, arqueológico, paleontológico, ecológico e científico[10].

Os meios de proteção são tratados pela primeira vez em nível constitucional: inventários, registros, vigilância, tombamento, desapropriação, e "outras formas de acautelamento e preservação"[11]. Entretanto, a maioria desses institutos deve ser regulamentada para sua plena aplicação.

A Constituição declara tombados todos "os sítios detentores de reminiscências históricas dos antigos quilombos"[12]. Vale dizer: independentemente do procedimento previsto no Decreto-Lei n° 25/37, tais bens já estão tombados por expressa disposição constitucional.

O TOMBAMENTO

No Brasil, a proteção do patrimônio cultural, denominado "patrimônio artístico e nacional", é regulamentada pelo Decreto-Lei n° 25/37, que disciplina o instituto do tombamento, o processo de tombamento de um bem, os efeitos jurídicos produzidos pelo instituto e as sanções advindas da não observância das restrições que recaem sobre o bem tombado.

Segundo o Decreto-Lei n° 25/37, o tombamento é o instituto jurídico pelo qual se faz a proteção do patrimônio histórico e artístico, que se efetiva quando o bem é inscrito no livro do tombo[13].

Paulo Affonso Leme Machado[14] ensina que "tombar um bem é inscrevê-lo em um dos livros do 'Tombo', existentes no anteriormente chamado 'Serviço do Patrimônio Histórico e Artístico Nacional', ou no livro apropriado da repartição estadual ou municipal competente".

---

10. Constituição de 1988, artigo 216, V.
11. *Ibid.*, artigo 216, parágrafo 1°.
12. *Ibid.*, artigo 215, parágrafo 5°.
13. Decreto-Lei n° 25/37, artigo 1°, parágrafo 1°.
14. *Ação Civil Pública: Ambiente, Consumidor, Patrimônio Cultural e Tombamento.* 2. ed. São Paulo: Revista dos Tribunais, 1987, p. 51.

Para José Cretella Júnior[15], "se tombar é inscrever, registrar, inventariar, cadastrar, tombamento é a operação material da inscrição de bem, móvel ou imóvel, no livro público respectivo. Tombamento é também o ato administrativo que concretiza a determinação do poder público no livro do tombo".

O artigo 4º do Decreto-Lei nº 25/37 prevê quatro livros do tombo, nos quais deverão ser feitas as inscrições dos bens culturais.

No Livro do Tombo Arqueológico, Etnográfico e Paisagístico são inscritos os bens "pertencentes às categorias de arte arqueológica, etnográfica, ameríndia e popular"[16] e os "monumentos naturais, bem como sítios e paisagens que importe conservar e proteger pela feição notável com que tenham sido dotados pela natureza ou agenciados pela indústria humana"[17].

No Livro do Tombo Histórico inscrevem-se "as coisas de interesse histórico e as obras de arte histórica"[18].

O Livro do Tombo das Belas-Artes destina-se à inscrição das "coisas de arte erudita, nacional ou estrangeira"[19].

O Livro do Tombo das Artes Aplicadas é reservado à inscrição das "obras que se incluírem na categoria das artes aplicadas, nacionais ou estrangeiras"[20].

A inscrição num dos livros do tombo determina uma diretriz de conservação estabelecida pelo órgão responsável pelo tombamento, conferindo-lhe também critérios para apurar eventual dano sobre o bem cultural. Ensina Sônia Rabello de Castro[21]: "A inscrição do bem em diversos Livros do Tombo tem como efeito jurídico estabelecer a diretriz e o âmbito da ação discricionária do órgão do patrimônio quando do exame técnico das modificações ou alterações a serem feitas no bem tombado".

---

15. *Comentários à Lei da Desapropriação (Constituição de 1988 e Leis Ordinárias).* 3. ed. Rio de Janeiro: Forense, 1992, p. 189.
16. Livro do Tombo Arqueológico, Etnográfico e Paisagístico, artigo 4º, item 1.
17. *Id.*, artigo 1º, parágrafo 2º.
18. Livro do Tombo Histórico, artigo 4º, item 2.
19. Livro do Tombo das Belas-Artes, artigo 4º, item 3.
20. Livro do Tombo das Belas-Artes, artigo 4º, item 4.
21. *O Estado na Preservação de Bens Culturais: O Tombamento.* Rio de Janeiro: Renovar, 1991, p. 114.

Ouro Preto, Olinda e a Cidade de Goiás foram inscritas nos livros das Belas-Artes; Histórico, volume 1; e Arqueológico, Etnográfico e Paisagístico[22], revelando, portanto, a adoção de três formas de proteção ou diretrizes de proteção.

São Luís foi inscrita no Livro do Tombo Arqueológico, Etnográfico e Paisagístico e no Livro do Tombo de Belas-Artes, Volume I[23].

Salvador, Congonhas, Brasília, Diamantina e São Cristóvão foram inscritos em apenas um livro do tombo; o centro histórico de Salvador, no Livro do Tombo Arqueológico, Etnográfico e Paisagístico; o santuário de Bom Jesus de Matozinhos, no Livro das Belas-Artes, volume 1; o conjunto urbanístico de Brasília, no Livro Histórico, volume 2; o conjunto arquitetônico e urbanístico da cidade de Diamantina, no livro das Belas Artes, volume 1; e a Cidade de São Cristóvão, inscrita no Livro do Tombo Arqueológico, Etnográfico e Paisagístico.[24]

---

22. Conjunto arquitetônico e urbanístico de Ouro Preto: Livro do Tombo das Belas-Artes (processo: 070-T-38; número de inscrição, 39; número da folha, 8; data: 20/1/1938); Livro do Tombo Histórico, vol. 1 (número de inscrição, 512; número da folha, 98; data: 15/9/1986); e Livro do Tombo Arqueológico, Etnográfico e Paisagístico (número de inscrição, 98; número da folha, 47; data: 15/9/1986). Conjunto arquitetônico, urbanístico e paisagístico de Olinda: Livro do Tombo de Belas-Artes, vol. 1 (processo: 674-T-62; número de inscrição, 487; número da folha, 88; data: 19/4/1968); Livro do Tombo Arqueológico, Etnográfico e Paisagístico (números de inscrição, 44 e 75; números da folha, 11 e 19; data: 19/4/1968 e 4/6/1979); Livro do Tombo Histórico, vol. 1 (número de inscrição, 412; número da folha, 66; data: 19/4/1968). Conjunto arquitetônico e urbanístico da Cidade de Goiás: Livro do Tombo de Belas-Artes, vol. 1 (Processo: 345-T-42; número de inscrição, 529; número da folha, 97; data: 18/9/1978); Livro do Tombo Arqueológico, Etnográfico e Paisagístico (número de inscrição, 73; número da folha, 17; data: 18/9/1978); e Livro do Tombo Histórico, vol. 1 (número de inscrição, 463; número da folha, 78; data: 18/9/1978).
23. Conjunto arquitetônico e paisagístico da cidade de São Luís: Livro do Tombo Arqueológico, Etnográfico e Paisagístico (Processo: 454-T-57; número de inscrição, 64; número da folha, 15; data: 13/3/1974); e Livro do Tombo de Belas-Artes, vol. 1 (número de inscrição, 513; número da folha, 93; data: 13/3/1974).
24. Centro histórico de Salvador: Livro do Tombo Arqueológico, Etnográfico e Paisagístico (processo: 1.093-T-83; número de inscrição, 86; número da folha, 29; data: 19/7/1984).
    Santuário de Bom Jesus de Matozinhos: Livro do Tombo de Belas-Artes, vol. 1 (processo: 075-T-38; número de inscrição, 239; número da folha, 41; data: 8/9/1939).
    Conjunto urbanístico de Brasília: Livro do Tombo Histórico, vol. 2 (processo: 1.035-T-90, número de inscrição, 532; número da folha, 17; data: 14/3/1990).
    Conjunto urbanístico e arquitetônico da cidade de Diamantina: Livro do Tombo de
    Belas-Artes, vol. 1 (Processo: 64-T-38; número de inscrição, 66; número da folha, 12; data: 16/5/1938).
    Conjunto arquitetônico, urbanístico e paisagístico constituído pela cidade de São Cristóvão: Livro do Tombo Arqueológico, Etnográfico e Paisagístico (processo: 785-T-67; número de inscrição, 40; número da folha, 10; data: 23/01/1967).

Para José Cretella Júnior[25], pode-se arguir a nulidade do tombamento cujo bem possua qualificações diversas daquelas que motivaram sua inscrição num dos livros do tombo: "Ao qualificar o bem como histórico, artístico, arqueológico ou paisagístico, o administrador pode errar. De boa ou de má-fé. E o erro pode incidir sobre o motivo, sobre a materialidade de fato, sobre o suporte da lei. O ato do tombamento, embora discricionário quanto à oportunidade ou à conveniência, é vinculado quanto ao motivo e ao fim. O fim deve ser público 'in genere', especificando-se naqueles casos enunciados em lei".

Assim, um bem de reconhecido valor histórico deve ser inscrito no apropriado Livro do Tombo Histórico e nunca no Livro do Tombo das Belas-Artes, sob pena de nulidade do ato de inscrição.

O objeto do tombamento

O Decreto-Lei nº 25/37 tutela os bens culturais imóveis e móveis[26].

Admite a inscrição de bens no livro do tombo, separada ou agrupadamente[27], o que permite, nesta segunda hipótese, o tombamento de núcleos históricos, áreas, bairros ou até cidades inteiras, num dos quatro livros do tombo, como Brasília, Olinda, Salvador, Ouro Preto, Congonhas, São Luiz, Diamantina, Cidade de Goiás e São Cristóvão. É o que se denomina "tombamento do conjunto urbano".

A inscrição agrupada de bens imóveis visa assegurar a paisagem do conjunto urbano. Acentua Paulo Affonso Machado[28] que seria "discriminatório e ilógico que numa determinada área com imóveis guardando semelhança em valor histórico, artístico ou natural, um só fosse tombado ou alguns, deixando outros com parecidas características ao desabrigo da tutela do poder público".

---

25. *Op. cit.*, p. 203.
26. Artigo 1º, *caput*.
27. Decreto-Lei nº 25/37, artigo 1º, parágrafo 1º.
28. *Op., cit.*, p. 55.

Espécies de tombamento

Quanto ao procedimento: tombamento de ofício, voluntário e compulsório

Nos termos do Decreto-Lei nº 25/37, o tombamento pode recair sobre bens públicos ou privados. Na primeira hipótese, configura-se o tombamento de ofício, quando é feita uma comunicação "à entidade a quem pertencer ou sob cuja guarda estiver a coisa tombada, a fim de produzir os necessários efeitos"[29], ou seja, todos aqueles decorrentes do Decreto-Lei nº 25/37, à exceção da inalienabilidade, e que serão abordados no tópico seguinte.

O parágrafo 41 da Recomendação sobre a Proteção, em Âmbito Nacional, do Patrimônio Cultural e Natural, de 1972, orienta os Estados a adotar medidas de conservação e revalorização, a serem observadas pelos proprietários privados e públicos, como forma de intensificar a proteção do patrimônio cultural.

Em se tratando de bem privado, o tombamento pode ser voluntário ou compulsório. É voluntário se o proprietário requer o tombamento de um bem que atenda aos "requisitos necessários para constituir parte integrante do patrimônio histórico e artístico nacional"[30]; ou se, por escrito, anuir à notificação promovida pelo poder público para instaurar o processo de tombamento[31].

O dado característico do tombamento voluntário, nas palavras de Maria Coeli Simões Pires[32], é o "concurso de vontade do proprietário e da entidade responsável pelo tombamento". Ambas as pessoas pretendem a proteção do bem cultural.

Configura-se o tombamento compulsório quando o proprietário, no curso do processo de tombamento, apresenta as razões de sua impug-

---

29. Decreto-Lei nº 25/37, artigo 5º.
30. Decreto-Lei nº 25/37, artigo 7º.
31. *Ibid.*
32. *Da Proteção ao Patrimônio Cultural: o Tombamento como Principal Instituto.* Belo Horizonte: Del Rey, 1994, p. 152.

nação e o Iphan efetiva o tombamento[33]. Trata-se de uma imposição do poder público, que pretende tombar o bem mas encontra resistência por parte do proprietário.

Outras hipóteses de tombamento compulsório: quando o proprietário, notificado, deixa de anuir por escrito ou não impugna no prazo legal o processo de tombamento[34].

Quanto à eficácia: definitivo e provisório

O bem é definitivamente tombado após concluído o regular processo de tombamento, culminando com sua inscrição no livro do tombo[35].

O tombamento provisório tem início com a notificação pelo poder público para instauração do regular processo de tombamento[36].

É medida acautelatória a serviço do poder público. Visa garantir a proteção do bem, que pode sofrer atos que atentem contra sua integridade e, como consequência, uma eventual subtração do seu valor cultural, em face da iminência de seu tombamento ou qualquer outra medida jurídica similar. A importância do tombamento provisório, para Paulo Affonso Leme Machado[37], deve-se ao fato de que, "mesmo antes de se chegar à decisão final, antes de se entrar no mérito se o bem vai ou não ser tombado, passa ele a ser preservado".

Pelo enunciado do artigo 10 daquele decreto, o tombamento provisório produz os mesmos efeitos jurídicos do tombamento definitivo, ressalvada a obrigação do proprietário de promover a averbação "ao lado da transcrição de domínio"[38].

Havendo a notificação ao proprietário da pretensão do tombamento, todas as modificações pretendidas no bem deverão ser executadas após prévia autorização do órgão competente.

---

33. Decreto-Lei nº 25/37, artigo 9º, item 3.
34. Decreto-Lei nº 25/37, artigo 9º, itens 1 e 2.
35. Decreto-Lei nº 25/37, artigo 10º, *caput*.
36. Decreto-Lei nº 25/37, artigo 10º, *caput*.
37. *Op. cit.*, p. 82.
38. Artigo 13, *caput*.

No que diz respeito ao poder público, o tombamento provisório acarreta o dever de proteger o bem tombado mediante a aplicação das sanções administrativas previstas em lei.

Magalhães Noronha[39] menciona que o tombamento provisório também produz efeitos penais: "Se, para todos os efeitos, o tombamento provisório é equiparado ao definitivo, parece-nos que também o será para os efeitos penais. O contrário, aliás, seria incentivar, muita vez o proprietário da coisa, durante o processo de tombamento, a danificá-la parcialmente, tirando, por exemplo, o seu valor histórico, sem grave dano para o valor material, a fim de furtá-la ao tombamento".

Os efeitos jurídicos produzidos sobre o bem tombado

O tombamento, como típico instituto protetor dos bens culturais, impõe naturalmente limitações ao exercício do direito da propriedade pública ou privada.

O título V do Decreto-Lei nº 25/37 enumera os efeitos jurídicos incidentes sobre o bem tombado: restrição à alienabilidade; restrição à vizinhança; vedação à modificação do bem; e obrigações do proprietário de conservá-lo.

Restrição à alienabilidade

A restrição à alienabilidade disciplinada pelo Decreto-Lei nº 25/37 aplica-se aos bens públicos e privados de forma diferenciada.

Os bens tombados pertencentes à União, aos Estados e aos Municípios somente poderão ser transferidos entre as referidas pessoas[40]. Apesar de omitir os bens das autarquias, estes submetem-se à regra do artigo 11, pois as autarquias são pessoas com personalidade jurídica de direito público[41].

---

39. *Apud* Paulo Affonso Leme Machado, *op. cit.*, p. 84.
40. Decreto-Lei nº 25/37, artigo 11.
41. Sônia Rabello de Castro, *op. cit.*, pp. 100-101.

Quanto às pessoas de direito privado instituídas pelo poder público, "tais como as empresas públicas, sociedades de economia mista, entes de cooperação do poder público", segundo Sônia Rabello de Castro[42], não se aplica a regra da inalienabilidade, pois se trata de pessoas de direito privado e, portanto, seus bens submetem-se ao regime jurídico desse ramo do direito.

A alienação dos bens privados tombados é permitida pelo Decreto-Lei nº 25/37, com a observação das seguintes restrições[43]:

- o adquirente do bem tombado deverá promover a averbação da transferência de domínio no registro de imóveis, mesmo nas hipóteses de transmissão judicial ou *causa mortis*[44].

Para Sônia Rabello de Castro[45], a averbação destina-se "a salvaguardar os direitos individuais de terceiros", que, ao adquirirem o bem, desconhecem o tombamento que recai sobre ele e, consequentemente, as restrições a ele impostas. No mesmo sentido, José Eduardo Ramos Rodrigues[46], ao observar que a averbação visa tornar pública a restrição legal sobre a alienabilidade do bem e o direito de preferência do poder público.

É medida que visa dar estabilidade e segurança jurídica às relações que envolvem a transferência da propriedade do bem tombado.

No plano internacional, a Recomendação sobre a Proteção, em Âmbito Nacional, do Patrimônio Cultural e Natural, de 1972, orienta os Estados a adotar medidas que obriguem o vendedor a informar ao comprador da existência da proteção que incide sobre o bem[47].

---

42. *Ibid.*
43. Decreto-Lei nº 25/37, artigo 12.
44. Decreto-Lei nº 25/37, artigo 13, parágrafo 1º.
45. *Op. cit.*, p. 104.
46. "Tombamento e Patrimônio Cultural". In: BENJAMIN, Antônio Herman (coord.) *Dano Ambiental, Prevenção, Reparação e Repressão*. São Paulo: Revista dos Tribunais, 1993, v. 2, p.192
47. Recomendação sobre a Proteção, em Âmbito Nacional, do Patrimônio Cultural e Natural, de 1972, parágrafo 46.

- o adquirente deverá comunicar a transferência de domínio ao órgão competente no prazo de trinta dias, sob pena de multa[48];
- os bens tombados são proibidos de sair do país sem transferência de domínio, salvo nas hipóteses de intercâmbio cultural[49];
- outro efeito importante, em virtude da publicidade do ato de tombamento, é o direito de preferência de que gozam a União, os Estados e os Municípios nos casos de alienação onerosa dos bens[50]. Antes da venda do bem tombado, o proprietário deverá oferecê-lo, primeiramente e pelo mesmo preço, ao ente federado competente – direito de preferência –, por meio de notificação, o qual deverá manifestar-se no prazo de trinta dias, sob pena de perder o direito de preferência[51]. Não tomadas tais providências pelo proprietário, caberá arguição de nulidade da alienação, aplicação de multa e sequestro do bem por qualquer dos titulares de preferência[52].

Restrição à vizinhança

A proteção à visibilidade do bem tombado é disciplinada pelo artigo 18 do Decreto-Lei n° 25/37, que dispõe que, sem prévia autorização do órgão competente, "não se poderá, na vizinhança da coisa tombada, fazer construção que impeça ou reduza a visibilidade, nem nela colocar cartazes".

Ensina Paulo Affonso Leme Machado[53]: "Procurou-se proteger a visibilidade da coisa tombada, seja monumento histórico, artístico ou natural. O monumento 'ensina' pela presença e deve poder transmitir uma fruição estética mesmo ao longe. Não só o impedimento total da visibilidade está vedado, como a dificuldade ou impedimento parcial de se enxergar o bem protegido".

---

48. Decreto-Lei n° 25/37, artigo 13, parágrafo 3°.
49. *Ibid.*, artigo 14.
50. *Ibid.*, artigo 22 e parágrafos.
51. *Ibid.*, artigo 22, parágrafo 1°.
52. *Ibid.*, artigo 22, parágrafo 2°.
53. *Op. cit.*, p. 58.

O parágrafo 42 da Recomendação sobre a Proteção, em Âmbito Nacional, do Patrimônio Cultural e Natural, de 1972, por sua vez, dispõe que um edifício "... situado no interior ou nas imediações de um bem protegido não poderá ser objeto de nenhuma nova construção, de nenhuma demolição, corte de árvores, transformação nem modificação que possa alterar seu aspecto, sem autorização dos serviços especializados"[54]. O parágrafo 45 da citada recomendação, mais específico, orienta os Estados a regulamentar a "fixação de cartazes, a publicidade, luminosa ou não, os cartazes comerciais, o *camping*, a colocação de sustentações, de cabos elétricos ou telefônicos, a instalação de antenas de televisão"[55] no sentido de não prejudicarem a visibilidade do bem tombado.

Assim, tanto na ordem internacional como na nacional consagram-se as restrições à vizinhança para preservar a visibilidade do bem protegido.

A restrição a construções ou edificações na vizinhança do bem tombado não é absoluta: deve estar comprovada a perda total ou parcial da visibilidade do bem. Trata-se de posicionamento tradicional na doutrina brasileira, consagrado no caso do Museu Imperial, em Petrópolis, que suscitou manifestação da Consultoria Geral da República, nos seguintes termos:

"Não basta que a construção esteja na vizinhança da coisa tombada, é necessário que a mesma impeça ou reduza sua visibilidade. Essa vizinhança não está – nem poderia estar – delimitada matematicamente. Está, entretanto, condicionada ao prejuízo da visibilidade da coisa tombada. Se esse prejuízo não existir, também inexiste a possibilidade de aplicação do artigo 18 do Decreto-Lei nº 25 de 1937"[56].

Entre as cidades brasileiras inscritas na Lista do Patrimônio Mundial merece destaque Brasília, cuja proteção à visibilidade é expressa nos

---

54. Tradução nossa.
55. Tradução nossa.
56. Adroaldo Mesquita da Costa, então consultor geral da República, no parecer 662-H, de 15 mar. 1968. RDA 93/379, 379.

artigos 3º e 10 do Decreto nº 10.829/87, que regulamenta a proteção do seu plano piloto tombado nos mesmos termos no plano federal[57]. Tome-se, como exemplo, o inciso III do artigo 3º do citado decreto, que contém norma de proteção à visibilidade da escala monumental, abrangendo a área compreendida entre a Praça dos Três Poderes e a Praça do Buriti, ao estabelecer que os "terrenos do canteiro central são considerados *non aedificandi* nos trechos compreendidos entre o Congresso Nacional e a plataforma rodoviária, e entre esta e a Torre de Televisão, e no Trecho não ocupado entre a Torre de Televisão e a Praça do Buriti".

Atualmente, a noção de visibilidade do bem tombado não se resume à redução ou ao impedimento total da visão do bem. Ela se refere também à ideia de ambiência, isto é, a harmonia, a integração do bem à paisagem do conjunto[58].

Vedação à modificação do bem

Decorre do artigo 1º do Decreto-Lei nº 25/37 a conservação dos bens móveis e imóveis que constituem o patrimônio histórico e artístico nacional.

Tombado o bem, a obrigação de conservá-lo é *erga omnes*. A lei não faz qualquer especificação quanto aos destinatários da norma, do que se presume que a obrigação de conservar cumpre ao proprietário do bem e terceiros.

Ao proprietário recai a obrigação de conservar o bem, assim como a de não danificá-lo. A omissão do proprietário quanto às medidas necessárias para a conservação do bem tombado, que leve à sua deterioração, também é punida pela lei.

No que diz respeito a terceiros, estes poderão ser responsabilizados pela prática de atividades que, direta ou indiretamente, acarretem al-

---

57. Ata da 138ª Reunião do Conselho Consultivo do Patrimônio Histórico e Artístico Nacional, realizada em 9 mar. 1990, p. 8. Anexa ao Dossiê para Instruir a Inscrição do Patrimônio Cultural da Cidade de Brasília (DF) na Lista do Patrimônio Mundial.
58. José Eduardo Ramos Rodrigues, apoiado nos ensinamentos de Hely Lopes Meirelles, *op. cit.*, p. 192.

gum dano ao bem[59]. É o caso da fuligem expelida por uma indústria que produz manchas que danifiquem um afresco do bem tombado ou ocasionem a deterioração de suas paredes.

Especificamente, o artigo 17 dispõe que os bens tombados não poderão, em hipótese alguma, ser destruídos, demolidos ou mutilados, e apenas mediante prévia autorização do órgão competente poderão ser reparados, pintados ou restaurados.

A destruição e a demolição são fatos facilmente perceptíveis e não exigem maiores considerações técnicas do órgão competente.

A ideia de mutilação exige exame mais detalhado. Inscrever um bem num dos livros do tombo revela uma diretriz de conservação, o que significa que a dimensão da mutilação vincula-se ao motivo do tombamento. Um bem inscrito no Livro do Tombo das Belas-Artes terá como prioridade, pelo órgão competente, a proteção das características que motivaram sua inscrição naquele livro. Portanto, algumas modificações ocorridas no bem podem ser consideradas lícitas, desde que não afetem os elementos protegidos. Caberá ao órgão competente verificar a ocorrência ou não da mutilação, segundo os critérios que causaram a inscrição do bem.

O Decreto nº 10.829/87 do Distrito Federal estabelece que quaisquer modificações físicas a serem realizadas nas áreas onde se situam a Praça dos Três Poderes e as sedes vizinhas do Palácio Itamaraty e da Justiça deverão ser submetidas à aprovação do órgão local responsável pela conservação[60].

A Lei nº 4.119/79 do município de Olinda, que disciplina o instituto do tombamento, outorga ao Centro para a Preservação dos Sítios Históricos daquela localidade a competência para analisar "os projetos de trabalhos de construção, conservação, reparação, restauração, alteração e de demolição" dos bens tombados[61].

---

59. Sônia Rabello de Castro, op. cit., p. 109.
60. Decreto nº 10.829/87 do Distrito Federal, artigo 3º, incisos I e II, parágrafo único.
61. Lei nº 4.119/79 do município de Olinda, artigo 11, inciso IX.

Obrigações do proprietário de conservar o bem tombado

A principal obrigação do proprietário é a conservação do bem tombado. Quando o proprietário não dispuser de recursos para a conservação do bem, deverá comunicar ao órgão competente a necessidade da execução das obras para a sua "conservação e reparação", sendo sua omissão punida com multa[62].

Com base nessa comunicação, a obrigação principal pela conservação é transferida ao poder público, isso porque, considerando necessárias tais obras, o diretor do órgão competente "mandará executá-las, a expensas da União, devendo as mesmas ser iniciadas dentro do prazo de seis meses, ou providenciará para que seja feita a desapropriação da coisa"[63]. No caso de urgência das obras, o órgão responsável pela proteção poderá dispensar sua comunicação ao proprietário[64].

Essa norma do Decreto-Lei nº 25/37 atende a duas orientações dadas pela Recomendação sobre a Proteção, em Âmbito Nacional, do Patrimônio Cultural e Natural, de 1972:

- *ajuda subsidiária do poder público*: "As autoridades responsáveis pela proteção do patrimônio cultural e natural poderão intervir para acelerar a execução dos trabalhos de conservação necessários, ajudando o proprietário por meio de *intervenções financeiras ou substituindo-o e executando as obras por iniciativa própria* sem prejuízo de pedir o reembolso a parte a quem corresponda"[65];
- *desapropriação*: o poder público poderá promover a desapropriação como medida para trazer a si a responsabilidade absoluta pela conservação. Nesse sentido, a Recomendação sobre a Proteção, em Âmbito Nacional, do Patrimônio Cultural e Natural, de 1972, confere às autoridades locais ampla discricionariedade: "Quando a conservação

---

62. Artigo 18.
63. Artigo 19, parágrafo 1º.
64. Artigo 18.
65. Parágrafo 43. Tradução nossa; itálico não original.

do patrimônio o exija, as autoridades competentes possuem o direito de expropriar um edifício ou um lugar protegido nas condições estabelecidas pela legislação interna"[66].

O proprietário poderá requerer o cancelamento do tombamento se o órgão competente não tomar tais providências no prazo legal[67].

A par da ajuda subsidiária, incumbe ao órgão competente a realização de uma série de atos para concretizar a tutela estatal do bem tombado: vistoria, vigilância, fiscalização, entre outros[68].

Sanções administrativas e penais

A Recomendação sobre a Proteção, em Âmbito Nacional, do Patrimônio Cultural e Natural, de 1972, orienta os Estados a aplicar, em conformidade com as normas constitucionais e legais, sanções administrativas e penais a toda pessoa que "destrua, mutile ou deteriore um monumento, um conjunto, um lugar protegido ou dotado de interesse arqueológico, histórico ou artístico"[69], ou que infrinja qualquer norma de proteção ou de revalorização de um bem protegido pertencente ao patrimônio cultural[70].

SANÇÕES ADMINISTRATIVAS

O Decreto-Lei n° 25/37 prevê sanções administrativas na forma de multa e demolição, aplicáveis aos infratores de suas disposições.

Multa

Especificamente em relação aos bens imóveis, as multas incidentes são as seguintes:

---

66. Parágrafo 44. Tradução nossa.
67. Decreto-Lei n° 25/37, artigo 19, parágrafo 2°.
68. *Ibid.*, artigo 20.
69. Parágrafo 47. Tradução nossa.
70. Parágrafo 48.

- multa de 10% ao adquirente, em caso de transferência do bem sem a transcrição no registro de imóveis no prazo de trinta dias[71];
- multa de 50% sobre o dano causado ao bem destruído, demolido ou mutilado; ou reparado, pintado ou restaurado sem autorização especial do órgão competente[72]. A multa tem como base de cálculo o valor do objeto que deve ser retirado. Quanto aos bens pertencentes à União, aos Estados e aos Municípios, a autoridade responsável pela infração responde pessoalmente pela multa[73];
- multa de 50% quando executada construção "que impeça ou reduza a visibilidade" do bem tombado, ou na vizinhança forem colocados anúncios ou cartazes sem prévia autorização do órgão competente[74];
- multa correspondente ao dobro do valor apurado sobre o dano sofrido pela coisa quando o proprietário não comunicar ao órgão competente a necessidade de se proceder a "obras de conservação e reparação do bem"[75].

Além das multas mencionadas, outras podem ser aplicadas em virtude do Decreto nº 6.514/2008[76], que regula as infrações administrativas contra o patrimônio cultural:

- multa de R$ 10.000,00 (dez mil reais) a R$ 500.000,00 (quinhentos mil reais) àquele que destrói, inutiliza ou deteriora bem especialmente protegido por lei, ato administrativo ou decisão judicial[77] assim como, "arquivo, registro, museu, biblioteca, pinacoteca, instalação científica ou similar". Este tipo administrativo é similar aquele descrito no artigo 17 do Decreto-Lei nº 25/37. Portanto, prevalece a regra deste em relação ao Decreto, em face da superioridade da

---

71. Artigo 13, parágrafo 1º.
72. Artigo 17, *caput*.
73. Artigo 17, parágrafo único.
74. Artigo 18.
75. Artigo 19.
76. Artigos 72 a 75.
77. Artigo 72.

lei sobre o decreto. Por outro lado, se o bem não for tombado, mas tutelado por outro instituto jurídico, em face do seu valor cultural, aplica-se a regra do Decreto nº 6.514/2008;

- multa de R$ 10.000,00 (dez mil reais) a R$ 200.000,00 (duzentos mil reais) àquele que promove a alteração do aspecto ou na estrutura de edificação ou em local especialmente protegido por lei, ato administrativo ou decisão judicial "em razão de seu valor paisagístico, ecológico, turístico, artístico, histórico, cultural, religioso, arqueológico, etnográfico ou monumental, sem autorização da autoridade competente ou em desacordo com a autorização concedida".[78] Regra similar também é encontrada no artigo 17 do Decreto-Lei nº 25/37. Assim havendo alteração do bem tombado em decorrência de reparação, pintura ou restauração aplica-se a regra do Decreto-Lei nº 25/37 já comentada; quaisquer alterações em bem não tombado, mas tutelado, em face do seu valor cultural são os infratores punidos conforme a regra do Decreto nº 6.514/2008;
- multa de R$ 10.000,00 (dez mil reais) a R$ 100.000,00 (cem mil reais) àquele que promove a "construção em solo não edificável, ou no seu entorno, assim considerado em razão de seu valor paisagístico, ecológico, artístico, turístico, histórico, cultural, religioso, arqueológico, etnográfico ou monumental, sem autorização da autoridade competente ou em desacordo com a autorização concedida".[79]

Em relação aos bens tombados entendemos que o Decreto nº 6.514/2008 aplica-se tão somente na construção em solo não edificável, pois no que se refere à construção no entorno do bem tombado aplica-se a regra do artigo 18 do Decreto-Lei nº 25/37.

- multa de R$ 1.000,00 (mil reais) a R$ 50.000,00 (cinquenta mil reais) àquele que picha, grafita ou por outro meio conspurca "edificação

---
78. Artigo 73.
79. Artigo 74.

alheia ou monumento urbano"[80]. Aplica-se a multa em dobro se tais atos forem realizados em monumento urbano ou bem tombado[81]. Neste caso, aplica-se o Decreto nº 6.514/2008 pelo fato de que não há regra similar no Decreto-Lei nº 25/37.

O valor das multas é proporcional ao dano sofrido pelo bem. Deve-se levar em conta seu valor material e cultural. Entretanto, trata-se de tarefa dificílima mensurar a perda do valor cultural do bem e o seu significado para o futuro. Uma alternativa plausível é calcular a multa sobre o montante necessário para a recuperação, total ou parcial, material do bem – recomposição do dano – conforme o caso[82].

Demolição

O artigo 17 do Decreto-Lei nº 25/37 veda expressamente a destruição, demolição ou mutilação do bem tombado. Não faz referência expressa à proibição de construir no bem tombado, mas é de supor que, ocorrendo, em face da construção, qualquer uma das situações proibidas pelo referido artigo, compete à administração a demolição da coisa construída.

Por outro lado, o artigo 18 legitima o poder público a "destruir a obra ou retirar o objeto" que afete a visibilidade do bem tombado, executados sem autorização do órgão competente.

Embargo de obras

Segundo Paulo Affonso Leme Machado[83], o Decreto-Lei nº 25/37 não prevê especificamente *o embargo de obras*, mas reconhece a legitimidade do poder público para promovê-lo na hipótese de a obra acarretar as situações previstas nos artigos 17 e 18 mencionados.

---

80. Artigo 75.
81. Artigo 75.
82. Sônia Rabello de Castro, *op. cit.*, pp. 116-117.
83. *Op. cit.*, p. 102.

Sanções penais

A Constituição Federal determina que os "danos e ameaças ao patrimônio cultural serão punidos na forma da lei"[84].

A Lei nº 9.605/98 prevê os tipos penais relativos aos danos causados ao patrimônio cultural, na forma dos artigos 62 a 65. Esta lei revoga os artigos 165 e 166 do Código Penal relativos a matéria.

Assim, o artigo 62 da Lei nº 9.605/98 pune a destruição, a inutilização ou a deterioração de bem cultural protegido por "lei, ato administrativo ou decisão judicial", inclusive arquivos, registros, bibliotecas, pinacotecas, instalações científicas ou similares[85]. Neste sentido, estão incluídos os bens culturais tombados, pois segundo Ivete Senise Ferreira, tais bens "fazem parte do patrimônio cultural nacional"[86].

A Lei nº 9.605/98 proíbe também a alteração do aspecto ou estrutura de edificação ou local "especialmente protegido por lei, ato administrativo ou decisão judicial", sem a devida autorização da autoridade competente ou em desacordo com a autorização concedida[87]. Para Vladimir Passos de Freitas e Gilberto Passos de Freitas, a norma penal visa a "preservação do meio ambiente, impedindo a sua alteração sem o acompanhamento da autoridade administrativa"[88].

O local especialmente protegido, na forma aludida pelo artigo 63, pode estar nesta condição em face do tombamento ou de outros meios jurídicos protetores, como a lei de zoneamento de uso e ocupação de solo urbano. Consequentemente, em razão da matéria, a lei pode ser federal, estadual ou municipal.

A Lei nº 9.605/98 introduz outros dois tipos penais novos em nosso ordenamento jurídico.

Assim, a lei proíbe a construção em "solo não edificável, ou no seu entorno" assim considerado em razão do valor cultural do bem, sem a

---
84. Artigo 216, parágrafo 4º.
85. Artigo 62, incisos I e II.
86. *A Tutela Penal do Patrimônio Cultural*. São Paulo: Revista dos Tribunais, 1995, p. 113.
87. Artigo 63.
88. *Crimes Contra a Natureza*. 6. ed. São Paulo: Revista dos Tribunais, 2000, p. 203.

autorização da autoridade competente ou em desacordo com a autorização concedida[89]. O objeto jurídico da norma é a proteção da visibilidade do bem e o seu entorno. Regra com objetivo similar é encontrada no artigo 18 do Decreto-Lei nº 25/37.

Outra inovação importante daquela lei é proibir a pichação ou conspurcar a edificação ou o monumento urbano por outro meio. A Lei nº 9.605/98 foi alterada pela Lei nº 12.408/2011, que exclui da sanção penal a prática de grafite que foi realizada com o "objetivo de valorizar o patrimônio público ou privado mediante manifestação artística", desde que haja a devida autorização pelo proprietário, locatário ou arrendatário nos casos dos bens privados, e, no caso dos bens públicos, com a autorização do órgão competente e a "observância das posturas municipais e das normas editadas pelos órgãos governamentais responsáveis pela preservação e conservação do patrimônio histórico e artístico nacional."[90] O objeto jurídico da norma é assegurar a integridade material e o valor cultural do bem.

O sujeito ativo desses delitos pode ser qualquer pessoa física imputável ou jurídica, incluindo o proprietário do bem protegido.

Em todos esses delitos, o sujeito passivo pode ser o proprietário ou o possuidor do bem, em face do dano material produzido sobre ele, mas, também, a sociedade, pelo fato de que o dano atinge a integridade do patrimônio cultural brasileiro.

A COMPETÊNCIA PARA LEGISLAR SOBRE TOMBAMENTO

A Constituição de 1967/Emenda Constitucional nº 1/69

Sob a vigência da Constituição Federal de 1967/EC nº 1/69, a competência para legislar sobre direito administrativo e, por consequência, tombamento era concorrente entre a União, os Estados e os municípios.

---
89. Artigo 64.
90. Artigo 65.

Antônio A. Queiroz Telles[91], ao comentar a Constituição de 1967/EC nº 1/69, observara que o ramo do Direito Administrativo não estava inserido entre as matérias de competência exclusiva da União, muito menos entre aquelas reservadas aos Estados. Na esfera local, a Constituição de 1967/EC nº 1/69 não dispunha de norma que proibisse o Município de legislar sobre Direito Administrativo e tombamento.

A Constituição outorgava ao Município competência para legislar sobre os temas de seu "peculiar interesse"[92], o que incluía o tombamento dos bens culturais.

Portanto, a proteção do patrimônio cultural não se resumia ao Decreto-Lei nº 25/37 e à ação administrativa e normativa da União, possibilitando a cada pessoa política editar uma legislação que disciplinasse o tombamento dos bens culturais, observando as normas e princípios constitucionais então vigentes.

Assim, era lícito que sobre o mesmo bem recaísse o tombamento por parte das três esferas de governo[93], a exemplo de Olinda, Salvador e Congonhas.

O acervo arquitetônico e urbanístico de Olinda foi tombado nos planos federal, via Decreto-Lei nº 25/37, e municipal, pela Lei nº 4.119/79.

O conjunto arquitetônico, paisagístico e urbanístico do centro histórico da cidade de Salvador foi tombado também nos termos do Decreto-Lei nº 25/37 e, em nível municipal, da Lei nº 3.289/83.

O santuário de Bom Jesus de Matozinhos foi tombado nos níveis federal[94] e estadual (Lei nº 5.775/71, que disciplina o instituto do tombamento em Minas Gerais).

Os conjuntos urbanos de Ouro Preto, São Luis, Diamantina, Cidade de Goiás e São Cristóvão foram tombados no plano federal pelo Decreto-Lei nº 25/37.

---

91. *Tombamento: seu Regime Jurídico*. São Paulo: Revista dos Tribunais, 1992, p. 89.
92. Artigo 15, inciso II.
93. União, Estados e Municípios.
94. Decreto-Lei nº 25/37.

A Constituição de 1988

As competências legislativas e administrativas dos entes federados em relação aos bens culturais estão disciplinadas nos artigos 23 e 24 da Constituição Federal de 1988.

A competência legislativa para a proteção dos bens culturais sofreu modificações na atual Constituição, que, excluindo os Municípios, outorga a competência legislativa concorrente à União, aos Estados e ao Distrito Federal para a proteção do patrimônio histórico, cultural, artístico, turístico e paisagístico[95], reservando à União a competência para editar normas gerais[96].

Em face da nova ordem constitucional, o Município sofreu restrições à autonomia legislativa de que dispunha para disciplinar o instituto do tombamento, pois a Constituição Federal outorga ao Município competência para "promover a proteção do patrimônio histórico-cultural local, observada a legislação e a ação fiscalizadora federal e estadual"[97]. Assim, a competência legislativa local, no que se refere à proteção do patrimônio local, encontra limites nas normas federais.

Quanto às competências administrativas, a Constituição confere a todos os entes federados (competência comum) a incumbência de proteger o patrimônio cultural.

A restrição à competência municipal para legislar sobre a proteção do patrimônio cultural e, consequentemente, sobre o tombamento não obsta uma ação conjunta de todos os entes federados. Havendo incompatibilidade entre as medidas e restrições impostas pelos Estados, Distrito Federal e Municípios, prevalecem as exigências estabelecidas pelas normas gerais editadas pela União.

---

95. Artigo 24, inciso VII.
96. Artigo 24, parágrafo único.
97. Artigo 30, inciso IX.

Tombamento: lei específica ou ato administrativo?

O tombamento de um bem cultural, nos termos do Decreto-Lei nº 25/37, consuma-se com sua inscrição no livro do tombo, após uma sucessão de atos administrativos que compõem o procedimento delineado por aquele diploma legal.

Entretanto, travou-se um debate doutrinário acerca da possibilidade de o tombamento ocorrer pela via legislativa.

Sônia Rabello de Castro[98] entende que o tombamento individualizado de um bem cultural, desde que "não inserido em nenhuma categoria específica ou ampla, estaria estabelecendo distinção infundada", em total desacordo com o princípio constitucional da isonomia[99]. Por outro lado, aquele princípio estaria atendido se determinados bens culturais constituíssem uma categoria específica em relação a outros bens, justificando-se a distinção, o que permitiria o tombamento de um bem pela via legal, enquadrando-o em uma ou outra categoria.

A lei conferiria efeitos semelhantes àqueles produzidos pelo tombamento, pois seria inócuo o tratamento desse instituto em outra lei, dada a existência do Decreto-Lei nº 25/37.

Antônio A. Queiroz Telles[100] defende a via legislativa como a mais adequada para o tombamento compulsório dos bens culturais, porque impõe restrições ao direito de propriedade. O tombamento do bem dar-se-ia por lei, a cada caso, observando as normas do Decreto-Lei nº 25/37.

Paulo Affonso Leme Machado[101] aponta vantagens do tombamento decorrente da via legal em relação ao tombamento feito por ato administrativo. O tombamento realizado por ato legislativo necessita de um maior consenso de vontades para a sua efetivação, assim como para o seu cancelamento, enquanto o tombamento provisório, instituído por ato da administração, produziria efeitos até a deliberação do Poder Legislativo.

---

98. *Op. cit.*, p. 40.
99. Artigo 37, *caput*.
100. *Op. cit.*, pp. 82-83.
101. *Op. cit.*, p. 76.

As cidades brasileiras inscritas na Lista do Patrimônio Mundial foram tombadas por atos administrativos na forma prevista pelo Decreto-Lei nº 25/37.

Não seria descabida a possibilidade de tombamento de conjuntos urbanos mediante lei, principalmente aqueles suscetíveis de serem inscritos na Lista do Patrimônio Mundial, a fim de tornar mais segura a proteção, pois o cancelamento de um tombamento efetivado pela via legal somente seria lícito se fosse determinado por lei.

Ademais, o tombamento decorrente de lei poderia promover uma participação mais ativa da sociedade e seu comprometimento com a proteção, pois o Poder Legislativo é mais vulnerável a pressões da opinião pública. Nesse sentido, o tombamento pela via legal atenderia a um dos objetivos da Lista do Patrimônio Mundial, qual seja a ampla publicidade da existência e da necessidade da proteção dos bens culturais.

TOMBAMENTO E NORMAS URBANÍSTICAS

José Afonso da Silva[102] classifica em quatro categorias os meios de atuação urbanística para a tutela dos bens culturais ambientais: meios ou instrumentos primários, meios ou instrumentos secundários, meios ou instrumentos cautelares e meios ou instrumentos repressivos.

Os meios primários são o tombamento, a desapropriação e o zoneamento; os meios secundários, os efeitos do tombamento; os meios cautelares são as medidas que visam assegurar a proteção do bem enquanto o poder público torna definitiva a medida protetora, como, por exemplo, o tombamento provisório; e os meios repressivos, as sanções penais e administrativas.

À exceção do zoneamento, os demais meios ou instrumentos foram comentados nos tópicos anteriores.

O zoneamento "é também uma forma de reconhecimento do valor cultural dos bens culturais ambientais, por meio da delimitação de *zona de interesse histórico, artístico e paisagístico*"[103].

---

102. *Direito Urbanístico Brasileiro*. São Paulo: Revista dos Tribunais, 1981, pp. 495-510.
103. José Afonso da Silva, *op. cit.*, p. 496.

Mais próximo da realidade local, o poder público municipal poderá disciplinar adequadamente a utilização do solo urbano, preservando os núcleos históricos das cidades, limitando o exercício do direito de propriedade e o direito de construir e delimitando as áreas industriais, comerciais, de proteção histórica e de lazer.

A Lei nº 3.289/83, de Salvador, dispõe sobre o conjunto arquitetônico tombado pela antiga Secretaria do Patrimônio Histórico e Artístico Nacional (Sphan) e institui áreas urbanas em *zonas de proteção cultural e de paisagem*, estabelecendo zonas *non aedificandi*[104], com o objetivo de proteger a visibilidade de certas edificações.

O Decreto nº 10.829/87, do Distrito Federal, que define o bem cultural inserido no plano piloto, possui normas de restrição à modificação de certas áreas[105]. Classifica o plano piloto *em quatro áreas* (ou poderiam ser denominadas zonas): escala monumental, escala residencial, escala gregária e escala bucólica, que traduzem as características principais da concepção urbana da cidade[106].

Acentua José Afonso da Silva[107] que a competência municipal para editar normas de direito urbanístico não é suplementar às normas federais e estaduais, pois se trata de competência própria que advém da Constituição.

Nos termos da Constituição Federal, ao Município compete estabelecer "a política de desenvolvimento urbano", tendo como "objetivo ordenar o pleno desenvolvimento das funções sociais da cidade e garantir o bem-estar de seus habitantes"[108], promovendo, "no que couber, adequado ordenamento territorial, mediante planejamento e controle do uso, do parcelamento e da ocupação do solo urbano"[109].

Para José Afonso da Silva[110], situação peculiar em relação às outras normas de direito urbanístico são aquelas editadas com o objetivo de

---

104. Artigo 121.
105. Artigo 3º, incisos I e VIII.
106. Artigo 1º, parágrafo 3º.
107. *Direito Urbanístico Brasileiro*. 2. ed. São Paulo: Malheiros Editores, 1997, p. 55.
108. Artigo 182, *caput*.
109. Artigo 30, VIII
110. *Op. cit.*, p. 56.

proteger o patrimônio cultural, obviamente de natureza imobiliária. Nesse campo, a ação normativa municipal é suplementar à legislação federal e estadual, com base nos incisos II e IX do artigo 30 da Constituição Federal, conforme exposto no item "A Constituição de 1988".

Tombamento: indenização e desapropriação

A possibilidade de indenização ao proprietário do bem tombado dependerá das restrições a ele impostas ou, mais especificamente, ao exercício do direito de propriedade.

Havendo o tombamento sem nenhuma inibição ao exercício do direito de propriedade, não há que se falar em indenização.

Caso o tombamento acarrete uma restrição ao direito de propriedade, sem esvaziar totalmente seu conteúdo econômico, caberá uma indenização a ser apurada na proporção da restrição.

Quando o tombamento produz uma restrição tão ampla que retire todo o conteúdo econômico da propriedade, segundo Flávio de Queiroz B. Cavalcanti[111], o bem é passível de desapropriação, medida que impõe ao poder público a indenização ao proprietário e aos eventuais beneficiários daquele bem.

Para Hely Lopes Meirelles[112], "tombamento não é confisco". A indenização somente é dispensável quando o tombamento "não impede a utilização do bem segundo sua destinação natural, nem acarreta o seu esvaziamento econômico". Sustenta esse autor[113] que, dada a impossibilidade do uso econômico do bem, configura-se interdição da propriedade e não limitação administrativa. Assim, o recuo de alguns metros de construções em terrenos urbanos é hipótese de limitação administrativa gratuita, mas, se esse recuo atinge a maior parte do terreno, "tornando a área inconstruível", passa a ser "interdição de uso de propriedade",

---

111. "Tombamento e Dever do Estado de Indenizar". RT 709/34, p.39.
112. "Tombamento e Indenização". RT 600/16, p. 16.
113. *Op. cit*, p. 17.

devendo o poder público indenizar a restrição "que aniquilou o direito dominial e suprimiu o valor econômico do bem".

Celso Antônio Bandeira de Mello[114] sustenta a via indenizatória quando o tombamento impõe um tal gravame particular e excepcional sobre um imóvel que o especifique ou singularize em relação ao regime jurídico do conjunto a que ele pertença. Incidindo o tombamento sobre todo um conjunto urbano ou parte dele, definido por lei em zonas ou áreas, não há que se cogitar em indenização, pois há apenas uma conformação do seu uso em prol do interesse público. Em suma, o bem tombado não sofre uma "particular compressão"[115] que o submeta a um regime diferente dos demais e, consequentemente, acarrete uma "perda econômica singularizada"[116] em relação ao conjunto.

Em casos graves de restrição ao exercício do direito de propriedade, tornando impraticável o aproveitamento do seu conteúdo econômico, a maioria da doutrina defende a tese da desapropriação do bem, como meio de indenização.

Esse instituto jurídico é importante por estimular a proteção dos bens culturais mediante a garantia de que o particular receberá uma compensação financeira pelo ônus que lhe é imposto em razão do tombamento do bem.

ESTATUTO DA CIDADE

Outro instrumento importante que pode ser utilizado pelo poder público para implementar a proteção jurídica dos bens culturais é a aplicação das medidas previstas na Lei Federal nº 10.257/2001, conhecida como Estatuto da Cidade. Esse diploma jurídico disciplina o ordenamento territorial da cidade sob diversos aspectos. Releva notar o direito de preempção que confere ao poder público municipal a preferência para adquirir "imóvel urbano objeto de alienação onerosa entre

---

114. "Tombamento e Dever de Indenizar". RDP 81/65, pp. 67-68.
115. *Op. cit.*, p. 72.
116. *Ibid.*

particulares"[117], a fim de assegurar a proteção de áreas de "interesse histórico, cultural ou paisagístico"[118]. Esse diploma jurídico ainda não foi utilizado pelo governo brasileiro para persuadir o Comitê do Patrimônio Mundial da inscrição das cidades brasileiras.

Tutela Processual Civil dos Bens Culturais

A Constituição Federal de 1988 prevê dois remédios processuais civis para a proteção dos bens culturais: a ação civil pública[119] e a ação popular[120].

Ação civil pública

A ação civil pública foi instituída pela Lei Federal n° 7.347, de 24 de julho de 1985, e posteriormente introduzida na Constituição Federal de 1988 por força do artigo 129, inciso III.

Possuem legitimidade ativa para o ajuizamento da ação: o Ministério Público, a Defensoria Pública, a União, os Estados e os Municípios, incluindo-se autarquias, empresas públicas, fundações e sociedades de economia mista, e associações que estejam constituídas "há pelo menos um ano, nos termos da lei civil"[121] e que, entre suas finalidades institucionais, encontre-se a de proteger o meio ambiente, o consumidor, a ordem econômica, a livre concorrência, "o patrimônio artístico, estético, histórico, turístico e paisagístico[122].

O campo de proteção da ação civil pública abrange "bens e direitos de valor artístico, estético, histórico, turístico e paisagístico"[123].

---

117. Cf. art. 25, caput, da Lei n° 10.257/2001.
118. Cf. art. 26, inciso VIII, da Lei n° 10.257/2001.
119. Lei n° 7.347/85 modificada pelas Leis n°s 10.257/2001 e 11.448/2007.
120. Lei Federal n° 4.717/65; Constituição Federal, artigo 5°, inciso LXXIII.
121. Lei 7.347/85 modificada pelas Leis n°s 10.257/2001 e 11.448/2007, Artigo 5°, inciso V, alínea "a".
122. Lei 7.347/85 modificada pelas Leis n°s 10.257/2001 e 11.448/2007, Artigo 5°, inciso V, alínea "b".
123. Lei 7.347/85 modificada pelas Leis n°s 10.257/2001 e 11.448/2007, Artigo 1°, inciso IV.

O objeto da ação pode ser uma indenização destinada a prover um fundo para a reconstrução dos bens lesados ou a prestação de obrigação de fazer ou de não fazer[124].

Em relação ao Decreto-Lei nº 25/37, o sujeito ativo da ação civil pública pode obter provimento jurisdicional para que o proprietário ou organismo oficial de proteção realize as reformas necessárias para a conservação do bem tombado – obrigação de fazer.

Por esse aspecto, é importante ressaltar que a Recomendação sobre a Proteção, em Âmbito Nacional, do Patrimônio Cultural e Natural, de 1972, estabelece obrigação de fazer semelhante, ao prever, entre outras sanções aos infratores das normas de proteção, a devolução das coisas ao seu estado primitivo, em conformidade com as normas científicas e técnicas de conservação[125].

Ainda em relação ao Decreto-Lei nº 25/37, o sujeito ativo da ação civil pública pode obter provimento para a demolição da construção realizada na vizinhança do bem tombado – obrigação de fazer – ou para a proibição de colocação de anúncios ou cartazes na mesma vizinhança – obrigação de não fazer.

A lei faculta ao Poder Judiciário optar entre a execução específica da sentença e a imposição de multa diária para cumprimento da obrigação de fazer e de não fazer[126].

Ação popular

Outro remédio processual importante para a proteção dos bens é a ação popular.

Conceitua Hely Lopes Meirelles[127]: "Ação popular é o meio constitucional posto à disposição de qualquer cidadão para obter a invalidação de atos ou contratos administrativos – ou a estes equiparados –

---
124. Ibid., artigos 3º e 13.
125. Parágrafo 48.
126. Lei Federal nº 7.347/85, artigo 11.
127. *Mandado de Segurança, Ação Popular, Ação Civil Pública, Mandado de Injunção, "Habeas Data"*. 15. ed. São Paulo: Malheiros, 1994, p. 85.

ilegais e lesivos do patrimônio federal, estadual e municipal, ou de suas autarquias, entidades paraestatais e pessoas jurídicas subvencionadas com dinheiros públicos".

A Lei Federal nº 4.717/65, que disciplina a ação popular, posteriormente modificada pela Lei nº 6.513/77, define o conceito de patrimônio público: "Consideram-se patrimônio público, para os fins referidos neste artigo, os bens e direitos de valor econômico, artístico, estético, histórico ou turístico"[128].

A Constituição Federal de 1988 consagra a tutela dos interesses difusos relativos aos bens culturais, via ação popular: "Qualquer cidadão é parte legítima para propor ação popular que vise anular ato lesivo ao patrimônio público ou de entidade de que o Estado participe, à moralidade administrativa, ao meio ambiente e ao patrimônio histórico e cultural, ficando o autor, salvo comprovada má-fé, isento de custas judiciais e do ônus da sucumbência"[129].

São requisitos da ação popular: ajuizamento por qualquer cidadão, ou seja, por pessoa no gozo dos seus direitos políticos; ilegalidade de ato do poder público, e lesividade desse ato ao patrimônio público.

Sua finalidade pode ser preventiva ou repressiva. Será preventiva se, antes do ajuizamento da ação, a lesão ao patrimônio público ainda não se consumou; será repressiva se já consumada a lesão, requerendo-se a reparação do dano.

Em relação ao instituto do tombamento, é cabível ação popular, tendo como pólo passivo o órgão responsável pela proteção quando omisso em suas atribuições de reformar um imóvel tombado.

A sentença que der provimento ao pedido deverá determinar a "invalidade do ato impugnado e as restituições devidas, condenando ao pagamento de perdas e danos os responsáveis pela sua prática e os beneficiários de seus efeitos, ficando sempre ressalvada à Administração a ação regressiva contra os funcionários culpados pelo ato anulado" (art.11)[130].

---

128. Redação dada pelo artigo 33 da Lei nº 6.513/77.
129. Artigo 5º, inciso LXXIII.
130. Hely Lopes Meirelles, *op. cit.*, p. 106.

6

A CONVENÇÃO RELATIVA À PROTEÇÃO DO PATRIMÔNIO MUNDIAL, CULTURAL E NATURAL, DE 1972, E A ASSISTÊNCIA INTERNACIONAL

Igreja de São Francisco de Assis. Ouro Preto, Minas Gerais

O preâmbulo da Convenção reconhece que os bens do patrimônio cultural e natural apresentam um interesse excepcional, cabendo a toda a coletividade internacional tomar parte na sua proteção, "mediante a prestação de uma assistência coletiva que, *sem substituir* a ação do Estado *interessado*, a complete *eficazmente*" (itálico não original).

A Convenção consagra um princípio de proteção adotado durante os seus trabalhos preparatórios: a proteção internacional seria subsidiária, complementar à proteção nacional.

A intervenção sob um regime de proteção internacional dar-se-ia em casos excepcionais que ameaçassem a integridade física dos bens culturais, tais como o estado avançado de deterioração dos monumentos ou dos conjuntos, os perigos imprevisíveis, os fenômenos ou calamidades naturais, a execução de grandes obras públicas ou privadas decorrentes do desenvolvimento econômico, entre outros[1].

Assistência internacional e cooperação

Nos termos da Convenção, a proteção internacional do patrimônio mundial, cultural e natural compreende o estabelecimento de um sistema de cooperação e assistência internacional "destinado a secundar os Estados-partes na Convenção nos esforços que desenvolvam para preservar e identificar esse patrimônio"[2].

---

1. Documento. 16c/19, Unesco, Paris, jul. 1970, anexo, p. 2.
2. Convenção Relativa à Proteção do Patrimônio Mundial, Cultural e Natural, de 1972, artigo 7º.

Segundo Gregorio Garzón Clariana[3], a cooperação internacional compreende a ação coordenada de dois ou mais Estados com o escopo de atender aos resultados por eles desejados.

A relação dos entes cooperantes pressupõe um respeito à soberania estatal, pois, segundo esse autor, a cooperação não implica ações em que um Estado imponha a outro um modelo político ou de desenvolvimento econômico.

Essa premissa é identificada nos trabalhos preparatórios da Convenção, cujo regime de proteção internacional foi concebido para atender desinteressadamente a todos os Estados, independentemente de qualquer modelo político, econômico, corrente de pensamento ou religião[4].

A promoção das atividades de cooperação no âmbito da Unesco tem como fundamento o seu Tratado Constitutivo, cujo preâmbulo reconhece a cooperação entre as nações na esfera da educação, da ciência e da cultura como formas de alcançar a paz internacional e o bem-estar geral da humanidade.

A Convenção Relativa à Proteção do Patrimônio Mundial, Cultural e Natural, de 1972, é fruto da política de cooperação cultural promovida pela Unesco.

A PROTEÇÃO INTERNACIONAL DO PATRIMÔNIO CULTURAL: OS PLANOS NORMATIVO E CONSTRUTIVO

Para G. G. Nonnenmacher[5], a proteção internacional do patrimônio cultural se manifesta nos planos normativo e construtivo.

A proteção no *plano normativo* compreende a qualificação, ou melhor, a delimitação do patrimônio cultural, possibilitando uma ação protetora definida.

---

3. "Sobre la Noción de Cooperación en el Derecho Internacional." *Revista Española de Derecho Internacional*, Madri, v. 29 (1), p. 53, 1976.
4. Documento. 16c/19, Unesco, Paris, jul. 1970, anexo, p. 7.
5. "De la Protection Internationale du Patrimoine Culturel." *Annuaire de L'A.A.A.*, Haia, v. 44, pp. 146-148, 1974.

Essa delimitação pelo ângulo da Convenção Relativa à Proteção do Patrimônio Mundial, Cultural e Natural, de 1972, decorre da inscrição do bem cultural na Lista do Patrimônio Mundial ou na Lista do Patrimônio Mundial em Perigo.

No campo estatal, os Estados devem promover a identificação e proteção de seus bens culturais por meio de medidas técnicas, científicas, legislativas e administrativas.

No Brasil, como já exposto no capítulo V, a proteção, do ponto de vista jurídico, corresponde a medidas tomadas pela União, pelos Estados e pelos Municípios.

Ainda de acordo com o pensamento de G. G. Nonnenmacher, concluímos que o conteúdo dessa proteção deve ter como objetivo a possibilidade de transmissão dos bens culturais às futuras gerações, cabendo a sua revalorização para adquirirem uma função útil à sociedade.

O diretor-geral da Unesco[6], em pronunciamento na 16ª Conferência Geral da organização, em 1970, assim se manifestou: "A proteção não pode ser passiva, mas ativa", ou, em outras palavras, deve possuir um "papel ativo na evolução econômica e social, presente e futura". Portanto, a política de proteção dos bens culturais imóveis deve-lhes permitir *funções permanentes*, pois o patrimônio cultural representa um "enorme capital de hábitat". Esse é um dos princípios que nortearam o processo de elaboração da Convenção Relativa à Proteção do Patrimônio Mundial, Cultural e Natural, de 1972.

É o que se denomina *perspectiva otimista* de proteção, que tem como premissa a conciliação entre o progresso social e econômico e a conservação. Essa concepção tem suas origens na Carta de Veneza, de 1964, que reconhece que os bens culturais imóveis podem ter uma função diversa daquela concebida em sua origem. Um antigo prédio pertencente à administração pública pode tornar-se um museu ou uma galeria de arte, entre outras funções. A reutilização do bem, porém, deve ser adequada à manutenção de sua integridade, não sendo recomendável sua

---

6. Documento. 16c/19, Unesco, Paris, jul. 1970, anexo, p. 3. Tradução nossa.

destinação para fins industriais, que exigem geralmente grandes obras de infra estrutura passíveis de descaracterizarem sua autenticidade.

A proteção no *plano construtivo* disciplinado pela Convenção Relativa à Proteção do Patrimônio Mundial, Cultural e Natural, de 1972, verifica-se pela prestação da assistência e pela cooperação internacional, mediante ações nos planos técnico, educativo e financeiro[7].

A ação no plano técnico

A ação no plano técnico da Convenção manifesta-se nas seguintes formas:

- *Estudos e pesquisas* – Estudo de aspectos artísticos, científicos e técnicos relativos à proteção, conservação, revalorização e reabilitação do patrimônio cultural[8,9]. Concretiza-se em projetos que contemplam as operações técnicas e científicas necessárias para a proteção do bem a fim de subsidiar os Estados na busca de soluções que permitam a utilização racional e acertada dos recursos nacionais;

- *Assistência técnica* – Fornecimento de técnicos e profissionais especializados na proteção dos bens culturais para velar pela execução do projeto aprovado[10]; ou fornecimento de equipamentos aos países que não possuam recursos ou meios de adquiri-los[11].

O fornecimento de recursos humanos é útil, principalmente, para países subdesenvolvidos e em desenvolvimento, ricos em bens culturais, mas carentes de mão de obra especializada, sobretudo no que diz respeito às modernas técnicas de proteção[12].

---

7. Para melhor entendimento da concepção das ações construtivas nos planos técnico, financeiro e educativo, cf. documento 16c/19, Unesco, Paris, jul. 1970, anexo, pp. 10-11.
8. Convenção Relativa à Proteção do Patrimônio Mundial, Cultural e Natural, de 1972, artigo 22, alínea "a".
9. G. G. Nonnenmacher, *op. cit.*, p. 146.
10. Convenção Relativa à Proteção do Patrimônio Mundial, Cultural e Natural, de 1972, artigo 22, alínea "b".
11. Convenção Relativa à Proteção do Patrimônio Mundial, Cultural e Natural, de 1972, artigo 22, alínea "d".
12. Documento 16c/19, Unesco, Paris, jul. 1970, anexo, p. 10.

A ação no plano educativo

No plano educativo, a ação compreende atividades de *formação* e de *informação*[13].

A atividade de formação implica o preparo de especialistas de todos os níveis "em matéria de identificação, proteção, observação, revalorização e reabilitação do patrimônio cultural"[14].

A atividade de informação corresponde à difusão ao público da importância do patrimônio cultural, das ameaças que pesam sobre esse patrimônio e de todas as iniciativas tomadas para a sua proteção[15]. A educação e a informação podem influir "eficazmente e de um modo duradouro na evolução permanente dos espíritos em favor da conservação das riquezas culturais do mundo"[16].

A ação no plano financeiro

No plano financeiro, a ação ocorre sob a forma de "empréstimos a juros reduzidos, sem juros ou reembolsáveis a longo prazo"[17], ou de concessão de subvenções não-reembolsáveis em "casos excepcionais e especialmente motivados"[18]. Essas operações são empreendidas pelo Fundo do Patrimônio Mundial.

Em razão do *princípio da subsidiariedade*, o financiamento dos trabalhos necessários para proteção dos bens culturais deve ser parcial, cabendo ao Estado beneficiário a responsabilidade pelo levantamento da maior parte dos recursos[19].

---

13. G. G. Nonnenmacher, *op. cit.*, p. 147.
14. Convenção Relativa à Proteção do Patrimônio Mundial, Cultural e Natural, de 1972, artigo 22, alínea "c".
15. *Ibid.*, artigos 27 e 28.
16. Documento 16c/19, Unesco, Paris, jul. 1970, anexo, p. 11. Tradução nossa.
17. Convenção Relativa à Proteção do Patrimônio Mundial, Cultural e Natural, de 1972, artigo 22, alínea "e".
18. *Ibid.*, artigo 22, alínea "f".
19. Convenção Relativa à Proteção do Patrimônio Mundial, Cultural e Natural, de 1972, artigo 25.

A ASSISTÊNCIA INTERNACIONAL E SUA APLICABILIDADE

A prestação da assistência internacional pelo Comitê do Patrimônio Mundial é variada, desenvolvendo-se conforme as necessidades do Estado beneficiado.

Cooperação técnica e Lista do Patrimônio Mundial[20]

A assistência técnica destinada aos bens culturais inscritos na Lista do Patrimônio Mundial é oferecida na forma do artigo 22 da convenção[21].

Essa assistência poderá contar com a participação do ICOMOS e do ICCROM em razão da natureza do bem envolvido e das medidas protetoras empregadas[22].

Assistência preparatória e lista indicativa[23]

A assistência técnica disciplinada pela Convenção Relativa à Proteção do Patrimônio Mundial, Cultural e Natural, de 1972, é destinada a atender exclusivamente aos bens culturais inscritos na Lista do Patrimônio Mundial, à exceção daqueles bens suscetíveis de serem inscritos, que passam então a receber a assistência preparatória. São as hipóteses de necessidade de elaboração de lista indicativa ou de atividades preparatórias para a inscrição do bem cultural na Lista do Patrimônio Mundial, como os inventários ou os dossiês[24].

---

20. *Id.*, artigo 22.
21. Para melhor entendimento da assistência técnica, cf. documento 27c/101, Unesco, Paris, 2 set. 1993, p. 8.
22. *Orientações*, parágrafo 31, alínea "d".
23. Convenção Relativa à Proteção do Patrimônio Mundial, Cultural e Natural, de 1972, artigo 20.
24. *Orientações*, parágrafos 74 a 76.

O Comitê do Patrimônio Mundial, atento às várias manifestações culturais do nosso planeta, que poderão levar à revisão dos critérios de inscrição de um bem cultural na Lista do Patrimônio Mundial, poderá promover a elaboração de listas indicativas a fim de apurar, por meio de comparação de bens com características semelhantes, outras hipóteses de inscrição. Assim, a assistência preparatória destina-se a harmonizar as listas indicativas inseridas em uma mesma área geocultural[25].

Nesse sentido, o Fundo do Patrimônio Mundial financiou, em 1992, na Place des Vosges, na França, um encontro de especialistas para a elaboração de critérios definidores de paisagens culturais[26].

A assistência preparatória destina-se também à formulação de requerimentos de cooperação técnica, incluindo aquelas relativas à organização de cursos de treinamento.

Assistência de emergência e Lista do Patrimônio Mundial em Perigo[27]

A assistência de emergência é oferecida para a conservação dos bens culturais inscritos, ou que poderão ser inscritos, na Lista do Patrimônio Mundial que tenham sofrido graves danos, ou que os possam sofrer, devido a fenômenos súbitos e inesperados[28]. Em razão dessas hipóteses, a assistência de emergência é também oferecida aos bens inscritos na Lista do Patrimônio Mundial em Perigo.

Em seu informe sobre as atividades prestadas no biênio 1992-1993, o Comitê do Patrimônio Mundial, por intermédio do Fundo do Patrimônio Mundial, prestou assistência de emergência à Costa Rica, para reparar danos em decorrência de um terremoto, e ao Iêmen, para efetuar obras de consolidação de edifícios e monumentos históricos do bairro velho de Shiban danificados por uma avenida[29].

---

25. *Orientações*, parágrafos 70 e 71.
26. Documento 27c/101, Unesco, Paris, 2 set. 1993, p. 6.
27. Convenção Relativa à Proteção do Patrimônio Mundial, Cultural e Natural, de 1972, artigo 11, parágrafo 4º; *Orientações*, parágrafos 190 e 191.
28. Documento 27c/101, Unesco, Paris, 2 set. 1993, p. 6.
29. *Id.*, Unesco, Paris, 2 set. 1993, p. 7.

Treinamento

A assistência internacional em forma de treinamento, prestada pelo Comitê do Patrimônio Mundial, insere-se no campo da ação educativa, disciplinada pela Convenção Relativa à Proteção do Patrimônio Mundial, Cultural e Natural, de 1972.

O Comitê atua prioritariamente na promoção de encontros internacionais para a formação de especialistas e na formação de especialistas pertencentes a centros nacionais e regionais de proteção do patrimônio cultural[30].

Exemplos de atuação do Comitê do Patrimônio Mundial foram os financiamentos ao ICCROM, para a realização do Curso Internacional de Tecnologia de Conservação em Rocha (ICCROM–Unesco), em 1991, na cidade de Veneza, e, nesse mesmo ano, do Curso de Treinamento Regional para a Conservação de Murais (ICCROM), realizado em Lucknow (Índia)[31].

No Brasil, desde 1981, a Universidade Federal da Bahia (UFBA) oferece, a cada dois anos, curso de especialização em conservação e restauração de monumentos e conjuntos históricos para a formação de especialistas e identificação de fundamentos técnicos, científicos e tecnológicos referentes à proteção dos bens culturais imóveis. Esse curso é dirigido a brasileiros, africanos de língua portuguesa, caribenhos e portugueses, cabendo à Unesco o fornecimento de especialistas para o magistério.

O curso é patrocinado pela Unesco, pelo Ministério da Educação e pelo Ministério da Cultura.

Assistência para atividades promocionais[32]

A assistência para as atividades promocionais, prestada pelo Comitê do Patrimônio Mundial, também decorre da ação educativa disciplina-

---

30. Convenção Relativa à Proteção do Patrimônio Mundial, Cultural e Natural, de 1972, artigo 23.
31. Documento CLT-90/Conf. 004/13, Unesco, Paris, 12 dez. 1990, p. 19.
32. *Orientações*, parágrafos 217 a 222.

da pela Convenção Relativa à Proteção do Patrimônio Mundial, Cultural e Natural, de 1972. As atividades promocionais são direcionadas em âmbito internacional, regional e nacional, e atendem:

• às funções de *informação*: o Comitê poderá organizar encontros de especialistas para difundir a Convenção em um grupo de Estados de uma determinada região, ou preparar materiais informativos para a promoção da Convenção, vedada essa promoção para um sítio em particular;

• às funções de *formação:* o Comitê poderá promover encontros de especialistas na forma de troca de experiências.

Durante sua 16ª reunião, ocorrida em Santa Fé, Estados Unidos, em 1992, o Comitê deliberou que as atividades promocionais visam atingir os seguintes aspectos[33]:

• comunicação: informação pública por meio da mídia;

• autopromoção: exibições e vários eventos culturais;

• obtenção de recursos financeiros e desenvolvimento de recursos humanos para promover a Convenção com a participação de associações;

• programas de informação propostos pelo Comitê para que os Estados-partes incluam-nos no nível escolar primário.

Até o presente, não há informações sobre o sucesso de tais objetivos.

---

33. Documento WHC-92/Conf. 002/12, Unesco, Paris, 14 dez. 1992, anexo II, pp. 10-11.

Assistência e solidariedade internacional

Em situações emergenciais, quando há sérios riscos a determinados bens do patrimônio cultural da humanidade, o Comitê do Patrimônio Mundial poderá emitir uma declaração advertindo a comunidade internacional dos riscos do desaparecimento daqueles bens ou solicitar ao diretor-geral da Unesco, durante a Conferência Geral da organização, que emita uma declaração conclamando todos os Estados a tomar as medidas necessárias para a salvaguarda dos bens ameaçados.

Por ocasião de sua 7ª sessão, ocorrida em Florença, Itália, em 1983, o Comitê lançou um apelo para que todas as partes envolvidas no conflito com o Líbano tomassem medidas para a proteção do seu rico patrimônio cultural[34].

Em 1991, durante a guerra civil da ex-Iugoslávia, o Comitê do Patrimônio Mundial, em nome dos cento e vinte e três Estados signatários da Convenção, na época, emitiu uma declaração solicitando que as partes em conflito promovessem um cessar-fogo e reparassem os danos causados na área de fogo, deliberando, posteriormente, sobre a inscrição da cidade de Dubrovnik na Lista do Patrimônio Mundial em Perigo para receber assistência de emergência[35].

Outra declaração importante foi emitida durante a 17ª sessão, em Cartagena, Colômbia, em 1993, quando o Comitê do Patrimônio Mundial lançou um apelo ao diretor-geral da Unesco e à Assembléia Geral solicitando a participação da comunidade internacional na restauração do patrimônio cultural da Bósnia-Herzegovina[36].

Dado o desconhecimento da comunidade internacional da importância de certos bens pertencentes ao patrimônio cultural da humanidade, essas declarações visaram difundir na opinião pública e nas autoridades nacionais tanto a existência desses bens quanto a necessidade de sua conservação.

---

34. Documento SC/83/Conf. 009/8, Unesco, Paris, jan. 1984, p. 14.
35. Documento SC-91/Conf. 002/15, Unesco, Paris, dez. 1991, pp. 7-9.
36. Sobre o teor da Declaração para a Proteção da Bósnia-Herzegovina, cf. documento WHC-93/Conf. 002/14, Unesco, Paris, 4 fev. 1994, anexo V, p. 1.

ASSISTÊNCIA E CAMPANHAS INTERNACIONAIS

A assistência internacional prevista na Convenção não exclui a realização de campanhas internacionais para a salvaguarda dos bens culturais imóveis, como as campanhas dos templos da Núbia e das cidades italianas de Florença e Veneza. Essas campanhas são realizadas de forma autônoma em relação às ações do Comitê, pois são de responsabilidade exclusiva da Unesco, possibilitando, mesmo aos Estados que não ratificaram a Convenção, a percepção dos seus benefícios.

Atualmente, essas campanhas não obtêm o mesmo sucesso daquelas realizadas durante as décadas de 1960 e 1970. Essa constatação foi objeto de debates nas reuniões do Comitê do Patrimônio Mundial[37].

Algumas hipóteses são apontadas para justificar esse fato, entre elas a de que o número crescente de bens inscritos na Lista do Patrimônio Mundial acarreta uma dispersão de recursos, esvaziando o significado das campanhas internacionais.

De época recente, merece destaque a campanha internacional em favor da restauração da cidade de Dubrovnik, lançada pelo diretor-geral da Unesco em 1991[38].

O SISTEMA DE MONITORAMENTO

A assistência internacional prestada pelo Comitê do Patrimônio Mundial compreende também um sistema de monitoramento[39], ou seja, de acompanhamento do estado de conservação dos bens culturais inscritos na Lista do Patrimônio Mundial.

---

37. Documento CC-86/Conf. 003/10, Unesco, Paris, 5 dez. 1986, p.13.
38. Documento SC-91/Conf. 002/15, Unesco, Paris, 12 dez. 1991, p. 7.
39. Mais detalhes sobre a instauração e o alcance do sistema de monitoramento, cf. documento WHC-92/Conf. 002/12, Unesco, Paris, 14 dez. 1992, p. 9.

Entretanto, o sistema de monitoramento é bem mais do que uma rotineira inspeção periódica. Trata-se de um processo permanente de cooperação que envolve parceiros locais num contexto regional, incluindo informações e atividades de pesquisa. Pelo sistema de monitoramento, o Comitê do Patrimônio Mundial procura assessorar os Estados na busca de soluções para debelar as causas que ameaçam os bens culturais do seu patrimônio.

O sistema de monitoramento possibilita a qualquer Estado-parte na Convenção alertar o Comitê do Patrimônio Mundial sobre os riscos de deterioração de um bem pertencente ao patrimônio cultural ou sobre uma eventual violação das obrigações previstas na Convenção.

Mediante o sistema de monitoramento, o Comitê do Patrimônio Mundial poderá, periodicamente, certificar-se se determinado bem cultural atende ainda aos requisitos que motivaram sua inscrição na Lista do Patrimônio Mundial. Desde a primeira reunião do Comitê do Patrimônio Mundial, o sistema de monitoramento vem sendo realizado sem uma metodologia precisa.

Numa tentativa de preencher essa lacuna, o Comitê promoveu, em 1993, um encontro de especialistas em Cambridge, Reino Unido, que apontou três categorias de monitoramento que poderiam ser implementadas[40]:

- monitoramento sistemático: processo permanente de acompanhamento do estado de conservação dos bens do patrimônio cultural com a elaboração de relatórios periódicos;

- monitoramento administrativo: compreende as ações do Centro do Patrimônio Mundial para assegurar a execução das recomendações e decisões do Comitê do Patrimônio Mundial e do seu *bureau* na época da inscrição do bem ou em data posterior;

---

40. Sobre o encontro de especialistas, ocorrido entre 1 e 3 nov. 1993, cf. documento WHC-93/Conf. 002/14, Unesco, Paris, 4 fev. 1994, p. 13.

- monitoramento *ad hoc*: acompanhamento do estado de conservação de bens específicos que estão sob perigo. Os relatórios *ad hoc* e os estudos de impactos são indispensáveis em circunstâncias excepcionais que afetam o estado de conservação dos bens.

Posteriormente, essas modalidades de monitoramento foram incorporadas e aperfeiçoadas pelo Comitê do Patrimônio Mundial, por meio de suas *Orientações*. Consequentemente, resultaram em:

- monitoramento reativo (regulado entre os parágrafos 169 a 176, das *Orientações*): cujo objeto é avaliar as condições de perigo que possam acarretar danos ao bem cultural. O monitoramento reativo serve como base de avaliação nos procedimentos de exclusão de um bem da Lista do Patrimônio Mundial; ou para a eventual inscrição do bem na Lista do Patrimônio Mundial em Perigo;

- relatórios periódicos: que encontram fundamento jurídico no artigo 29 da Convenção, pelos quais os Estados devem periodicamente relatar à Conferência Geral da Unesco e ao Comitê do Patrimônio Mundial as medidas legislativas e administrativas adotadas para a proteção dos seus bens culturais. Neste sentido, as *Orientações*, entre os parágrafos 199 a 210, disciplinam a metodologia dos relatórios a ser adotada pelos Estados.

ASSISTÊNCIA INTERNACIONAL E O PATRIMÔNIO CULTURAL DAS CIDADES BRASILEIRAS

Atualmente, no Brasil, a assistência internacional é prestada na forma do sistema de monitoramento pelo qual o Comitê do Patrimônio Mundial emite orientações às autoridades públicas a respeito das medidas que devem ser tomadas em relação à proteção do nosso patrimônio cultural. Até 1994, em relação a Ouro Preto, Olinda e Salvador, o Comitê do Patrimônio Mundial apurou os principais problemas que afetam o patrimônio cultural sem apontar quais medidas seriam tomadas. Brasília e Congonhas vêm recebendo maiores atenções do Comitê do Patrimônio Mundial. Vejamos.

Em relação a Ouro Preto, o Comitê recomendou a elaboração de um plano de reabilitação integral da parte histórica da cidade em razão dos danos causados pelo turismo[41].

A respeito de Salvador, o Comitê constatou a realização de grandes trabalhos para a restauração e revalorização da cidade histórica, principalmente da área do Pelourinho.

A definição de novas funções daquela área e o deslocamento de seus habitantes motivaram o Comitê do Patrimônio Mundial a organizar um grupo formado por especialistas internacionais e por autoridades regionais e locais para debater esse tema em 1994[42], o que veio a ocorrer somente em 1995 na cidade de Brasília.

Na cidade de Olinda, o Comitê recomendou especial atenção para a formulação de uma política que concilie a conservação do patrimônio cultural e o turismo[43].

Para Brasília[44], as orientações dadas pelo Comitê abrangem medidas de caráter administrativo, legislativo, científico e educacional. Entre elas, cabe destacar:

- proposta para criação de um comitê interinstitucional que contemple representantes de setores da comunidade local favoráveis ao desenvolvimento da cidade, bem como os das instituições de conservação. A finalidade desse comitê consiste em fomentar o debate dos principais projetos de crescimento da cidade e a procura de soluções que visem a um equilíbrio entre progresso e conservação.

---

41. Documento WHC-93/Conf. 002/14, Unesco, Paris, 4 fev. 1994, p. 21-22.
42. *Id.*, Unesco, Paris, 4 fev. 1994, p. 23.
43. *Ibid.*
44. A respeito das orientações dadas pelo Comitê em relação ao patrimônio cultural de Brasília, cf. documento WHC-93/Conf. 002/5, Unesco, Paris, dez. 1993, pp. 146-159.

Nesse sentido, o Comitê recomendou à Unesco que promovesse um foro para tratar do tema "conservação" em 1994. O foro seria de caráter federal, com a participação de autoridades locais comprometidas com a conservação e de personalidades de reconhecido gabarito internacional que contribuiriam para a formulação de projetos globais.

Às autoridades locais caberiam os encargos financeiros do evento, restando à Unesco, enquanto agência internacional de cultura, patrociná-lo. Esse foro foi realizado em 1995, com a participação dos prefeitos das cidades inscritas na Lista do Patrimônio Mundial.

No campo das ações concretas, o Comitê emitiu as seguintes orientações:
- conservação dos vazios urbanos para evitar a especulação imobiliária;
- delimitação de uma área *non aedificandi* que contorne todos os lineamentos do polígono da área de proteção para manter sua visibilidade;
- preservação das quatro áreas do plano piloto: escala monumental, residencial, gregária (encontro) e bucólica;
- criação de espaços de encontro para usos múltiplos, dado que Brasília é uma cidade viva e inacabada;
- promoção de ações para o futuro em todos os níveis relevantes de atuação da Unesco: patrimônio cultural, ciência, educação e meio ambiente.

O diagnóstico do estado geral do conjunto histórico de Congonhas[45] foi considerado bom em 1994. Entretanto, detectou-se uma rápida transformação da área de contorno da cidade, o que poderá levar à desfiguração do seu conjunto.

O Comitê recomendou uma participação mais integrada entre autoridades nacionais de proteção, que deveriam implementar um plano de preservação ambiental estudado em 1988, e autoridades estaduais e locais para implementação de um plano piloto para o povoado, em seu conjunto e nas áreas patrimoniais em particular.

---

45. A respeito das orientações dadas pelo Comitê em relação ao patrimônio cultural de Congonhas, cf. documento WHC-93/Conf. 002/5, Unesco, Paris, dez. 1993, p. 229-230.

Recomendou ainda:

- a colaboração da Unesco para prestar assessoria sobre técnicas e normas de planejamento urbano e ambiental, assistência técnica, para a restauração da pintura mural das capelas, e treinamento de pessoal para trabalhos de restauração;
- a aplicação das tarefas de prospecção do teto e modos de ventilação do telhado, como formas mais imediatas de restauração do templo; entretanto, nas capelas, devem ajustar-se aos problemas das umidades e à possibilidade de recuperação da pintura mural original;
- a aprovação de legislação urbana adequada para evitar maiores deteriorações paisagísticas.

Em relação à Cidade de Goiás, em 31 de dezembro de 2001, seu centro histórico foi amplamente danificado devido às fortes chuvas que provocaram o transbordamento das águas do canal que escoa as águas do rio Vermelho.

A inspeção realizada pelo Iphan constatou vários danos, entre eles: a destruição completa da ponte do Carmo e sérias avariações às pontes da Lapa e da Cambaúba; aproximadamente oitenta casas foram danificadas e um número significativo delas foi quase destruído; os principais monumentos, a exemplo do Hospital São Pedro, a casa de Cora Coralina, o teatro de São Joaquim, a praça do mercado da municipalidade e a estação de ônibus sofreram danos consideráveis, assim como a Cruz de Anhanguera. A título de emergência, o Comitê aprovou uma verba de 50.000 dólares[46].

Em 2004, o Comitê do Patrimônio Mundial, durante a sua 28ª edição, ocorrida em Suzhou (China), aprovou um relatório relativo a três cidades brasileiras: Cidade de Goiás, Brasília e Ouro Preto. Neste sentido, recomendou às autoridades brasileiras para concentrar os

---

46. O relatório que contém a análise sobre a Cidade de Goiás consta no documento 26 BUR – WHC-02/CONF.201/15. Paris, 27 maio 2002. Disponível em: http://whc.unesco.org/archive/repbur02.htm. Acesso em: 11 jun. 2003.

seus esforços na restauração e na revitalização do centro histórico da Cidade de Goiás e recomendou o envio de uma missão do ICOMOS para realizar um monitoramento dos empreendimentos. Em relação à Brasília, o Comitê recomendou a continuidade e o reforço da cooperação entre as autoridades do Distrito Federal e do Iphan para a elaboração de um plano urbano de proteção de Brasília. Em relação à Ouro Preto a solicitação às autoridades brasileiras para o Comitê continuar informado sobre a revisão do plano urbano de proteção da cidade, instituído em 1996.[47]

Em síntese, essas foram as principais orientações dadas pelo Comitê do Patrimônio Mundial às autoridades brasileiras responsáveis pela proteção do patrimônio cultural das cidades mencionadas.

---

47. Cf. documento WHC-04/28.COM/26 (original em inglês). Paris, 29 out. 2004.

CONCLUSÕES

Casa de Cora Coralina. Cidade de G
Goiá

O patrimônio cultural da humanidade é um elemento do patrimônio comum da humanidade, embora a gestão de seus bens seja diferenciada porque submetida à soberania estatal.

No desenvolvimento desta obra, seguimos a linha de pensamento de Alexandre Charles Kiss, que classifica o patrimônio cultural da humanidade como espécie do gênero patrimônio comum da humanidade, pois o traço marcante que unifica certos espaços e recursos naquela categoria é o interesse comum da humanidade em preservá-lo.

A inserção do tema patrimônio cultural da humanidade no Direito Internacional Público, em decorrência de várias convenções de caráter universal e regional e das recomendações da Unesco, atesta o interesse da comunidade internacional em preservar os bens culturais dada a importância que representam para toda a humanidade. Vários são os interesses comuns da humanidade em torno da proteção dos bens culturais: a necessidade de preservar e transmitir às futuras gerações informações a respeito de experiências acumuladas ao longo dos séculos sobre comportamento humano, regimes políticos e econômicos, indispensáveis para a compreensão de fenômenos que afetam a humanidade no presente e no futuro; a utilização dos bens culturais como fonte de deleite e lazer; a necessidade de o homem manter-se ligado aos seus antepassados ou apegar-se a tradições que o remontem a épocas de engrandecimento espiritual ou material da humanidade.

No decorrer do século XX, os interesses comuns da humanidade na proteção dos bens culturais ampliaram-se. As convenções de Haia, de 1899 e 1907, disciplinaram a conduta de Estados beligerantes para minorar os males da guerra e proteger as populações civis e suas propriedades. Assim, a proteção dos bens culturais deveria ser compreendida num contexto que procurava preservar a saúde mental das pessoas envolvidas por meio de normas que pudessem diminuir o máximo possível os horrores da guerra.

Dado o rápido progresso social e econômico que permeou todo o século XX, outras causas foram sendo identificadas como ameaças à conservação dos bens culturais: crescimento urbano, industrialização, poluição, grandes obras de impacto na vida das pessoas e na arquitetura, reações do meio ambiente em razão da crescente industrialização, como as chuvas ácidas, que afetam a estrutura dos bens culturais, entre outros fatores.

Nesse contexto, o mérito da Unesco está na promoção de convenções e na aprovação de recomendações internacionais que procuram proteger os bens culturais ameaçados pelo mundo atual. A Convenção de Haia de 1954 disciplina a proteção de bens móveis e imóveis em tempos de guerra; a Convenção de 1970 visa combater o tráfico ilícito dos bens culturais a fim de garantir o seu acesso a toda a humanidade; a Convenção de 1972 objetiva a proteção dos bens culturais imóveis em razão do progresso socioeconômico e das catástrofes naturais; e a Convenção Relativa à Proteção do Patrimônio Cultural Subaquático (2001), objetiva a proteção do patrimônio cultural subaquático, em detrimento a eventuais ações destrutivas das denominadas "caças aos tesouros."

Quanto à Convenção Relativa à Proteção do Patrimônio Mundial, Cultural e Natural, de 1972, desde 2003, verifica-se uma profunda mudança no critério "autenticidade", que permitirá a inclusão de um número maior de bens na Lista do Patrimônio Mundial, tornando-a cada vez mais representativa da ampla diversidade cultural que existe em nosso planeta, assim como a inclusão do critério "integridade" ao lado da "autenticidade" que assegura uma verificação mais precisa quanto à originalidade e o real valor cultural do bem cultural, objeto de inscrição, tornando a Lista do Patrimônio Mundial um legítimo diploma representativo das verdadeiras maravilhas culturais e naturais da Terra.

Por outro lado, a revisão dos critérios é uma tarefa contínua do Comitê do Patrimônio Mundial, com o olhar para o futuro, em decorrência do rápido desenvolvimento do nosso planeta e as transformações perpetradas na sociedade internacional que poderão acarretar o surgimento de novas manifestações culturais, que devem ser contempladas na Lista do Patrimônio Mundial.

No que diz respeito à tutela do patrimônio cultural das cidades brasileiras, coube-nos fazer uma análise pelo tríplice aspecto da tutela: delimitação, proteção nacional e assistência internacional.

No campo da delimitação, o patrimônio cultural das cidades brasileiras foi inscrito na Lista do Patrimônio Mundial de acordo com o procedimento delineado pela Convenção Relativa à Proteção do Patrimônio Mundial, Cultural e Natural e pelas *Orientações* aprovadas pelo Comitê do Patrimônio Mundial. Especificamente em relação a Brasília (DF), o aspecto da delimitação – compreendido todo o procedimento de inscrição até sua conclusão – contribuiu decisivamente para que as autoridades públicas nacionais adotassem medidas jurídicas para a proteção do plano piloto por meio do Decreto nº 10.829/87 e, posteriormente, pelo tombamento, em nível federal, em 1990. Antes da instauração do procedimento de inscrição na Lista do Patrimônio Mundial, o plano piloto de Brasília não era objeto de nenhuma medida protetora. Esse fato demonstra a influência das instituições de Direito Internacional Público sobre o ordenamento jurídico de um Estado sem configurar restrições à soberania nacional.

Os bens culturais das cidades brasileiras não passaram pela seleção prévia, na lista indicativa, nem mereceram a inscrição na Lista do Patrimônio Mundial em Perigo, embora a cidade de Goiás tenha recebido uma verba de 50.000 dólares, a título de emergência, em razão das chuvas de dezembro de 2001. É importante que as autoridades nacionais responsáveis pela conservação conheçam a função de ambas as listas como instrumentos de proteção do patrimônio cultural.

Ainda no campo da delimitação, nenhum bem cultural situado no Brasil foi excluído da Lista do Patrimônio Mundial. Da mesma forma, é importante que as mesmas autoridades conheçam o procedimento de exclusão do bem cultural da Lista do Patrimônio Mundial para tornar reversível a recuperação do bem e, portanto, possibilitar a manutenção do seu valor cultural.

No campo da proteção nacional, constata-se que o Brasil vem cumprindo as obrigações decorrentes da Convenção Relativa à Proteção do Patrimônio Mundial, Cultural e Natural no que diz respeito às medidas jurídicas: como exposto no capítulo V, nosso ordenamento jurídico vem atendendo aos padrões internacionais estabelecidos pela Recomendação sobre a Proteção, em Âmbito Nacional, do Patrimônio Cultural e Natural, de 1972 (parágrafos 40 a 48). Entretanto, não podemos afirmar que o atendimento a esses padrões seja o suficiente para manutenção da integridade de nosso patrimônio cultural, pois as causas que o ameaçam são variadas: falta de recursos financeiros, descaso da população e das autoridades públicas, políticas urbanas despidas de apoio à proteção, entre outras.

Ainda em relação ao Brasil, destacam-se as inovações trazidas pela Constituição Federal de 1988 (artigos 215 e 216): retira a condição de "monumentalidade" que permeava a noção dos bens culturais imóveis; amplia o universo dos bens culturais imóveis; e discrimina os institutos jurídicos protetores dos bens culturais (inventários, registros, vigilância, tombamento, desapropriação e outras formas de acautelamento e preservação). O tratamento constitucional da proteção dos bens culturais é o reconhecimento do significativo valor que possuem em face do ordenamento jurídico nacional.

A assistência internacional, prestada na forma de cooperação internacional disciplinada pela Convenção Relativa à Proteção do Patrimônio Mundial, Cultural e Natural, manifesta-se nos campos técnico, financeiro e educativo. Diante desse quadro, o patrimônio cultural das cidades brasileiras vem recebendo poucos benefícios por parte da comunidade internacional.

O monitoramento realizado pelo Comitê do Patrimônio Mundial em relação às cidades de Olinda, Salvador, Ouro Preto, Congonhas e Brasília restringe-se ao diagnóstico dos principais problemas que afetam o patrimônio cultural daquelas cidades e à indicação de algumas soluções sob a responsabilidade das autoridades nacionais. Em 2004, essas mesmas ações continuaram em relação à Brasília, Ouro Preto e a Cidade de Goiás, como se verificou no encontro realizado em Suzhou, na China. Em relação a São Luís, Diamantina e Cidade de Goiás, o Comitê não adotou medidas de proteção.

Essa tímida atuação do Comitê do Patrimônio Mundial pode decorrer da combinação de alguns fatores, entre os quais: os bens culturais inscritos não vêm sofrendo grandes ameaças, o que dispensaria intervenções de grande envergadura; as autoridades nacionais pouco conhecem dos potenciais oferecidos pela Convenção, deixando de utilizá-los apropriadamente; a ação do Comitê encontra-se ainda em fase preliminar (diagnóstico dos problemas que afetam nosso patrimônio cultural), o que significa que somente no futuro poderemos ter ações mais incisivas.

As autoridades responsáveis pela proteção dos bens culturais apontam como o principal problema a crise financeira que abala o sistema das Nações Unidas e, consequentemente, da Unesco. Nesse sentido, sua atuação, por meio de instituições, entre elas o Comitê do Patrimônio Mundial, atualmente, é restrita à promoção de foros entre os representantes das cidades inscritas na busca de soluções domésticas para problemas comuns.

Embora a situação não seja das melhores, as autoridades responsáveis pela proteção podem obter algumas vantagens em razão da inscrição dos bens culturais na Lista do Patrimônio Mundial, como, por exemplo, a divulgação ao público da importância dos bens culturais pertencentes ao patrimônio cultural da humanidade a fim de angariar simpatia à causa da proteção. Essa linha de ação atende à função "publicitária" da Lista do Patrimônio Mundial e permite a formação de um movimento de solidariedade da comunidade nacional favorável à proteção.

Como palavras finais, em razão do objeto desta obra, esperamos ter atendido a alguns objetivos, entre os quais: subsídio aos profissionais pertencentes ao campo da proteção dos bens culturais, ao descrevermos o procedimento de inscrição de determinados bens na Lista do Patrimônio Mundial, e colaboração para a divulgação da importância e da necessidade da proteção do patrimônio cultural da humanidade.

ANEXOS

Decreto Nº 80.978, de 12 de dezembro de 1977

Promulga a Convenção Relativa à Proteção do Patrimônio Mundial, Cultural e Natural, de 1972.

O Presidente da República,

Havendo a Convenção Relativa à Proteção do Patrimônio Mundial, Cultural e Natural sido adotada em Paris, a 23 de novembro 1972, durante a XVII Sessão da Conferência-geral das Nações Unidas para a Educação, a Ciência e a Cultura;

Havendo o Congresso Nacional aprovado a referida Convenção, com reserva ao parágrafo 1º do artigo 16, pelo Decreto Legislativo nº 74[1], de 30 de junho de 1977;

Havendo o instrumento brasileiro de aceitação, com a reserva indicada, sido depositado junto à Diretoria-Geral da Organização das Nações Unidas para a Educação, a Ciência e a Cultura em 2 de setembro de 1977;

E havendo a referida Convenção entrado em vigor, para o Brasil, em 2 de dezembro de 1977, decreta:

Que a referida Convenção, apensa por cópia ao presente Decreto, seja, com a mesma reserva, executada e cumprida tão inteiramente como nela se contém.

Ernesto Geisel

Antônio Francisco Azeredo da Silveira

---

1. Leg. Federal, 1977, p. 484.

CONVENÇÃO RELATIVA À PROTEÇÃO DO PATRIMÔNIO MUNDIAL, CULTURAL E NATURAL, DE 1972

A Conferência Geral da Organização das Nações Unidas para a Educação, a Ciência e a Cultura, reunida em Paris, de 17 de outubro a 21 de novembro de 1972, em sua décima sétima sessão,

Verificando que o patrimônio cultural e o patrimônio natural são cada vez mais ameaçados de destruição, não somente pelas causas tradicionais de degradação, mas também pela evolução da vida social e econômica, que se agrava com fenômenos de alteração ou destruição ainda mais temíveis;

Considerando que a degradação ou o desaparecimento de um bem do patrimônio cultural e natural constitui um empobrecimento nefasto do patrimônio de todos os povos do mundo;

Considerando que a proteção desse patrimônio em escala nacional é frequentemente incompleta, devido à magnitude dos meios de que necessita e à insuficiência dos recursos econômicos, científicos e técnicos do país em cujo território se acha o bem a ser protegido;

Tendo em mente que a Constituição da Organização dispõe que esta última ajudará a conservação, o progresso e a difusão do saber, velando pela preservação e proteção do patrimônio universal e recomendando aos povos interessados convenções internacionais para esse fim;

Considerando que as convenções, recomendações e resoluções internacionais existentes relativas aos bens culturais e naturais demonstram a importância que representa, para todos os povos do mundo, a salvaguarda desses bens incomparáveis e insubstituíveis, qualquer que seja o povo a que pertençam;

Considerando que bens do patrimônio cultural e natural apresentam um interesse excepcional e, portanto, devem ser preservados como elementos do patrimônio mundial da humanidade inteira;

Considerando que, ante a amplitude e a gravidade dos perigos novos que os ameaçam, cabe a toda a coletividade internacional tomar parte na proteção do patrimônio cultural e natural de valor universal excepcional, mediante a prestação de uma assistência coletiva que, sem substituir a ação do Estado interessado, a complete eficazmente;

Considerando que é indispensável, para esse fim, adotar novas disposições convencionais que estabeleçam um sistema eficaz de proteção coletiva do patrimônio cultural e natural de valor universal excepcional, organizado de modo permanente e segundo métodos científicos e modernos; e

Após haver decidido, quando de sua décima sexta sessão, que essa questão seria objeto de uma convenção internacional,

Adota neste dia dezesseis de novembro de mil novecentos e setenta e dois a presente convenção.

I – Definições do patrimônio cultural e natural

ARTIGO 1°

Para fins da presente convenção, serão considerados como "patrimônio cultural":

- os monumentos: obras arquitetônicas, de escultura ou de pintura monumentais, elementos ou estruturas de natureza arqueológica, inscrições, cavernas e grupos de elementos que tenham um valor universal excepcional do ponto de vista da história, da arte ou da ciência;
- os conjuntos: grupos de construções isoladas ou reunidas que, em virtude de sua arquitetura, unidade ou integração na paisagem, tenham um valor universal excepcional do ponto de vista da história, da arte ou da ciência;
- os lugares notáveis: obras do homem ou obras conjugadas do homem e da natureza, bem como as zonas, até mesmo lugares arqueológicos, que tenham valor universal excepcional do ponto de vista histórico, estético, etnológico ou antropológico.

ARTIGO 2º

Para os fins da presente convenção, serão considerados como "patrimônio natural":

– os monumentos naturais constituídos por formações físicas e biológicas, ou por grupos de tais formações, que tenham um valor universal excepcional do ponto de vista estético ou científico;
– as formações geológicas e fisiográficas e áreas nitidamente delimitadas que constituam o hábitat de espécies animais e vegetais ameaçadas e que tenham valor universal excepcional do ponto de vista da ciência ou da conservação;
– os lugares notáveis naturais ou as zonas naturais nitidamente delimitadas, que tenham valor universal excepcional do ponto de vista da ciência, da conservação ou da beleza natural.

ARTIGO 3º

Caberá a cada Estado-parte na presente convenção identificar e delimitar os diferentes bens mencionados nos artigos 1º e 2º situados em seu território.

II – Proteção nacional e proteção internacional do patrimônio cultural e natural

ARTIGO 4º

Cada um dos Estados-partes na presente convenção reconhece que a obrigação de identificar, proteger, conservar, valorizar e transmitir às futuras gerações o patrimônio cultural e natural mencionado nos artigos 1º e 2º, situado em seu território, lhe incumbe primordialmente. Procurará tudo fazer para esse fim, utilizando ao máximo seus recursos disponíveis e, quando for o caso, mediante a assistência e cooperação internacional de que possa beneficiar-se, notadamente nos planos financeiro, científico e técnico.

ARTIGO 5°

A fim de garantir a adoção de medidas eficazes para a proteção, conservação e valorização do patrimônio cultural e natural situado em seu território, os Estados-partes na presente convenção procurarão, na medida do possível e nas condições apropriadas a cada país:

a) adotar uma política geral que vise dar ao patrimônio cultural e natural uma função na vida da coletividade e integrar a proteção desse patrimônio nos programas de planificação geral;
b) instituir em seu território, na medida em que não existam, um ou mais serviços de proteção, conservação e valorização do patrimônio cultural e natural, dotados de pessoal e meios apropriados que lhes permitam realizar as tarefas a eles confiadas;
c) desenvolver estudos e pesquisas científicas e técnicas e aperfeiçoar os métodos de intervenção que permitam a um Estado fazer face aos perigos que ameacem seu patrimônio cultural ou natural;
d) tomar as medidas jurídicas, científicas, técnicas, administrativas e financeiras adequadas para a identificação, proteção, conservação, revalorização e reabilitação desse patrimônio; e
e) facilitar a criação ou o desenvolvimento de centros nacionais ou regionais de formação no campo da proteção, conservação e revalorização do patrimônio cultural e natural e estimular a pesquisa científica nesse campo.

ARTIGO 6°

1° – Respeitando plenamente a soberania dos Estados em cujo território esteja situado o patrimônio cultural e natural mencionado nos artigos 1° e 2°, e sem prejuízo dos direitos reais previstos pela legislação nacional sobre tal patrimônio, os Estados-partes na presente convenção reconhecem que esse constitui um patrimônio universal em cuja proteção a comunidade internacional inteira tem o dever de cooperar.

2º – Os Estados-partes comprometem-se, consequentemente, e em conformidade com as disposições da presente convenção, a prestar seu concurso para a identificação, proteção, conservação e revalorização do patrimônio cultural e natural mencionados nos parágrafos 2º e 4º do artigo 11, caso solicite o Estado em cujo território ele esteja situado.

3º – Cada um dos Estados-partes na presente convenção obriga-se a não tomar deliberadamente qualquer medida suscetível de pôr em perigo, direta ou indiretamente, o patrimônio cultural e natural mencionado nos artigos 1º e 2º que esteja situado no território de outros Estados-partes nesta convenção.

ARTIGO 7º

Para os fins da presente convenção, entender-se-á por proteção internacional do patrimônio mundial, cultural e natural o estabelecimento de um sistema de cooperação e assistência internacional destinado a secundar os Estados-partes na convenção nos esforços que desenvolvam para preservar e identificar esse patrimônio.

III – Comitê intergovernamental da proteção do patrimônio mundial, cultural e natural

ARTIGO 8º

1º – Fica criado na Organização das Nações Unidas para a Educação, a Ciência e a Cultura um comitê intergovernamental da proteção do patrimônio mundial, cultural e natural de valor universal excepcional, denominado "Comitê do Patrimônio Mundial". Compor-se-á de quinze Estados-partes nesta convenção, eleitos pelos Estados na convenção reunidos em assembleia geral durante as sessões ordinárias da Conferência Geral da Organização das Nações Unidas para a Educação, a Ciência e a Cultura. O número dos Estados membros do comitê será aumentado para 21 (vinte e um), a partir da sessão ordinária da Conferência Geral que se seguir à entrada em vigor, para 40 (quarenta) ou mais Estados, da presente convenção.

2º – A eleição dos membros do comitê deverá garantir uma representação equitativa das diferentes regiões e culturas do mundo.

3º – Assistirão às reuniões do comitê, com voto consultivo, um representante do Centro Internacional de Estudos para a Conservação e Restauração dos Bens Culturais (Centro de Roma), um representante do Conselho Internacional de Monumentos e Lugares de Interesse Artístico e Histórico (ICOMOS) e um representante da União Internacional para a Conservação da Natureza e de seus Recursos (UICN), aos quais poderão juntar-se, a pedido dos Estados-partes reunidos em assembleia geral durante as sessões ordinárias da Conferência Geral da Organização das Nações Unidas para a Educação, a Ciência e a Cultura, representantes de outras organizações intergovernamentais ou não governamentais que tenham objetivos semelhantes.

ARTIGO 9º

1º – Os Estados-membros do Comitê do Patrimônio Mundial exercerão seu mandato a partir do término da sessão ordinária da Conferência Geral em que hajam sido eleitos até o término da terceira sessão ordinária seguinte.

2º – No entanto, o mandato de um terço dos membros designados por ocasião da primeira eleição expirará ao término da primeira sessão ordinária da Conferência Geral que se seguir àquela em que tenham sido eleitos, e o mandato de outro terço dos membros designados ao mesmo tempo expirará ao término da segunda sessão ordinária da Conferência Geral que se seguir àquela em que hajam sido eleitos. Os nomes desses membros serão sorteados pelo presidente da Conferência Geral após a primeira sessão.

3º – Os Estados-membros do comitê escolherão para representá-los pessoas qualificadas no campo do patrimônio cultural ou do patrimônio natural.

ARTIGO 10º

1º – O Comitê do Patrimônio Mundial aprovará seu regimento interno.

2º – O comitê poderá a qualquer tempo convidar para suas reuniões organizações públicas ou privadas, bem como pessoas físicas, para consultá-las sobre determinadas questões.

3º – O comitê poderá criar os órgãos consultivos que julgar necessários para a realização de suas tarefas.

ARTIGO 11

1º – Cada um dos Estados-partes na presente convenção apresentará, na medida do possível, ao Comitê do Patrimônio Mundial um inventário dos bens do patrimônio cultural e natural situados em seu território que possam ser incluídos na lista mencionada no parágrafo 2º do presente artigo. Esse inventário, que não será considerado como exaustivo, deverá conter documentação sobre o local onde estão situados esses bens e sobre o interesse que apresentem.

2º – Com base no inventário apresentado pelos Estados, em conformidade com o parágrafo 1º, o comitê organizará, manterá em dia e publicará, sob o título "Lista do Patrimônio Mundial", uma lista dos bens do patrimônio cultural e natural, tais como definidos nos artigos 1º e 2º da presente convenção, que considere como tendo valor universal excepcional segundo os critérios que haja estabelecido. Uma lista atualizada será distribuída pelo menos uma vez em cada dois anos.

3º – A inclusão de um bem na Lista do Patrimônio Mundial não poderá ser feita sem o consentimento do Estado interessado.

A inclusão de um bem situado num território que seja objeto de reivindicação de soberania ou jurisdição por parte de vários Estados não prejudicará em absoluto os direitos das partes em litígio.

4º – O comitê organizará, manterá em dia e publicará, quando o exigirem as circunstâncias, sob o título "Lista do Patrimônio Mundial em Perigo", uma lista dos bens constantes na Lista do Patrimônio Mundial para cuja salvaguarda sejam necessários grandes trabalhos e para os quais haja sido pedida assistência, nos termos da presente convenção. Nessa lista será indicado o custo aproximado das operações. Em tal lista somente poderão ser incluídos os bens do patrimônio cultural e natural que estejam ameaçados de perigos sérios e concretos, tais como risco de desaparecimento devido à degradação acelerada, projetos de grandes obras públicas ou privadas, rápido desenvolvimento urbano e turístico, destruição provocada por mudanças de utilização ou de propriedade da terra, alterações profundas ocasionadas por uma causa desconhecida, abandono por quaisquer razões, conflito armado que haja irrompido ou ameace irromper, catástrofes e cataclismos, grandes incêndios, terremotos, deslizamentos de terreno, erupções vulcânicas, alteração do nível das águas, inundações e maremotos. Em caso de urgência, poderá o comitê, a qualquer tempo, incluir novos bens na Lista do Patrimônio Mundial e dar a tal inclusão uma difusão imediata.

5º – O comitê definirá os critérios com base nos quais um bem do patrimônio cultural ou natural poderá ser incluído em uma ou outra das listas mencionadas nos parágrafos 2º e 4º do presente artigo.

6º – Antes de recusar um pedido de inclusão de um bem numa das duas listas mencionadas nos parágrafos 2º e 4º do presente artigo, o comitê consultará o Estado-parte em cujo território se encontrar o bem do patrimônio cultural ou natural em causa.

7º – O comitê, com a concordância dos Estados interessados, coordenará e estimulará os estudos e pesquisas necessários para a composição das listas mencionadas nos parágrafos 2º e 4º do presente artigo.

ARTIGO 12

O fato de que um bem do patrimônio cultural ou natural não haja sido incluído numa ou noutra das duas listas mencionadas nos parágrafos 2º e 4º do artigo 11 não significará, em absoluto, que ele não tenha valor universal excepcional para fins distintos dos que resultam na inclusão nessas listas.

ARTIGO 13

1º – O Comitê do Patrimônio Mundial receberá e estudará os pedidos de assistência internacional formulados pelos Estados-partes na presente convenção no que diz respeito aos bens do patrimônio cultural ou natural situados em seus territórios que figurem ou sejam suscetíveis de figurar nas listas mencionadas nos parágrafos 2º e 4º do artigo 11. Esses pedidos poderão ter por objeto a proteção, a conservação, a revalorização ou a reabilitação desses bens.

2º – Os pedidos de assistência internacional em conformidade com o parágrafo 1º do presente artigo poderão também ter por objeto a identificação dos bens do patrimônio cultural ou natural definidos nos artigos 1º e 2º quando as pesquisas preliminares demonstrarem que merecem ser prosseguidas.

3º – O comitê decidirá sobre tais pedidos, determinará, quando for o caso, a natureza e a amplitude de sua assistência e autorizará a conclusão, em seu nome, dos acordos necessários com o governo interessado.

4º – O comitê estabelecerá uma ordem de prioridade para suas intervenções. Fá-lo-á tomando em consideração a importância respectiva dos bens a serem salvaguardados para o patrimônio cultural ou natural, a necessidade de assegurar a assistência internacional aos bens mais representativos da natureza ou do gênio e a história dos povos do mundo, a urgência dos trabalhos que devem ser empreendidos, a importância dos recursos dos Estados em cujo território se achem os bens ameaçados e, em particular, na medida em que esses poderiam assegurar a salvaguarda desses bens por seus próprios meios.

5º – O comitê organizará, manterá em dia e difundirá uma lista dos bens para os quais uma assistência internacional houver sido fornecida.

6º – O comitê decidirá sobre a utilização dos recursos do fundo criado em virtude do disposto no artigo 15 da presente convenção. Procurará os meios de aumentar-lhe os recursos e tomará todas as medidas que, para tanto, se fizerem necessárias.

7º – O comitê cooperará com as organizações internacionais e nacionais governamentais e não governamentais que tenham objetivos semelhantes aos da presente convenção. Para elaborar seus programas e executar seus projetos, o comitê poderá recorrer a essas organizações e, em particular, ao Centro Internacional de Estudos para a Conservação e Restauração dos Bens Culturais (Centro de Roma), ao Conselho Internacional de Monumentos e Lugares de Interesse Artístico e Histórico (ICOMOS) e à União Internacional para a Conservação da Natureza e de seus Recursos (UICN), bem como a outras organizações públicas ou privadas e a pessoas físicas.

8º – As decisões do comitê serão tomadas por maioria de dois terços dos membros presentes e votantes. Constituirá *quorum* a maioria dos membros do comitê.

ARTIGO 14

1º – O Comitê do Patrimônio Mundial será assistido por um secretário nomeado pelo diretor-geral da Organização das Nações Unidas para a Educação, a Ciência e a Cultura.

2º – O diretor-geral da Organização das Nações Unidas para a Educação, a Ciência e a Cultura utilizará, o mais possível, os serviços do Centro Internacional de Estudos para a Conservação e a Restauração dos Bens Culturais (Centro de Roma), do Conselho Internacional dos Monumentos e Lugares Históricos (ICOMOS) e da União Internacional para a Conservação da Natureza e de seus Recursos (UICN), dentro de suas competências e possibilidades respectivas, preparará a documentação do comitê, a agenda de suas reuniões e assegurará a execução de suas decisões.

IV – Fundo para a Proteção do Patrimônio Mundial, Cultural e Natural

ARTIGO 15

1º – Fica criado um Fundo para a Proteção do Patrimônio Mundial, Cultural e Natural de Valor Universal Excepcional, denominado "Fundo do Patrimônio Mundial".

2º – O Fundo será constituído como fundo fiduciário, em conformidade com o Regulamento Financeiro da Organização das Nações Unidas para a Educação, a Ciência e a Cultura.

3º – Os recursos do Fundo serão constituídos:
   a) pelas contribuições obrigatórias e pelas voluntárias dos Estados-partes na presente convenção;
   b) pelas contribuições, doações ou legados que possam fazer:
      i) outros Estados;
      ii) a Organização das Nações Unidas para a Educação, a Ciência e a Cultura, as outras organizações do sistema das Nações Unidas, notadamente o Programa de Desenvolvimento das Nações Unidas e outras organizações intergovernamentais; e
      iii) órgãos públicos ou privados ou pessoas físicas.
   c) por quaisquer juros produzidos pelos recursos do Fundo;
   d) pelo produto das coletas e pelas receitas oriundas de manifestações realizadas em proveito do Fundo; e
   e) por quaisquer outros recursos autorizados pelo Regulamento do Fundo, a ser elaborado pelo Comitê do Patrimônio Mundial.

4º – As contribuições ao Fundo e as demais formas de assistência fornecidas ao comitê somente poderão ser destinadas aos fins por ele definidos. O comitê poderá aceitar contribuições destinadas a um determinado programa ou a um projeto concreto, contanto que o comitê haja decidido pôr em prática esse programa ou executar esse projeto. As contribuições ao Fundo não poderão ser acompanhadas de quaisquer condições políticas.

ARTIGO 16

1º – Sem prejuízo de qualquer contribuição voluntária complementar, os Estados-partes na presente convenção comprometem-se a pagar regularmente, de dois em dois anos, ao Fundo do Patrimônio Mundial, contribuições cujo montante calculado segundo uma porcentagem uniforme aplicável a todos os Estados será decidido pela assembleia geral dos Estados-partes na convenção, reunidos durante as sessões da Conferência Geral da Organização das Nações Unidas para a Educação, a Ciência e a Cultura. Essa decisão da assembleia geral exigirá a maioria dos Estados-partes presentes votantes que não houverem feito a declaração mencionada no parágrafo 2º do presente artigo. Em nenhum caso poderá a contribuição dos Estados-partes na convenção ultrapassar 1% (um por cento) de sua contribuição ao orçamento ordinário da Organização das Nações Unidas para a Educação, a Ciência e a Cultura.

2º – Todavia, qualquer dos Estados a que se refere o artigo 31 ou o artigo 32 da presente convenção poderá, no momento do depósito de seu instrumento de ratificação, aceitação ou adesão, declarar que não se obriga pelas disposições do parágrafo 1º do presente artigo.

3º – Um Estado-parte na convenção que houver feito a declaração a que se refere o parágrafo 2º do presente artigo poderá, a qualquer tempo, retirar a dita declaração mediante notificação ao diretor-geral da Organização das Nações Unidas para a Educação, a Ciência e a Cultura. No entanto, a retirada da declaração somente terá efeito sobre a contribuição obrigatória devida por esse Estado a partir da data da assembleia geral dos Estados-partes que se seguir tal retirada.

4º – Para que o comitê esteja em condições de prever suas operações de maneira eficaz, as contribuições dos Estados-partes na presente convenção que houverem feito a declaração mencionada no parágrafo 2º do presente artigo terão de ser entregues de modo regular, pelo menos de dois em dois anos, e não deverão ser inferiores às contribuições que teriam de pagar se tivessem se obrigado pelas disposições do parágrafo 1º do presente artigo.

5º – Um Estado-parte na convenção que estiver com o pagamento de sua contribuição obrigatória ou voluntária atrasado, no que diz respeito ao ano em curso e ao ano civil imediatamente anterior, não é elegível para o Comitê do Patrimônio Mundial, não se aplicando essa disposição por ocasião da primeira eleição. Se tal Estado já for membro do comitê, seu mandato se extinguirá no momento em que se realizem as eleições previstas no artigo 8º, parágrafo 1º, da presente convenção.

ARTIGO 17

Os Estados-partes na presente convenção considerarão ou favorecerão a criação de fundações ou de associações nacionais públicas ou privadas que tenham por fim estimular as liberalidades em favor da proteção do patrimônio cultural ou natural definido nos artigos 1º e 2º da presente convenção.

ARTIGO 18

Os Estados-partes na presente convenção prestarão seu concurso às campanhas internacionais de coleta que forem organizadas em benefício do Fundo do Patrimônio Mundial sob os auspícios da Organização das Nações Unidas para a Educação, a Ciência e a Cultura. Facilitarão as coletas para esses fins pelos órgãos mencionados no parágrafo 3º do artigo 15.

V – Condições e modalidades de assistência internacional

ARTIGO 19

Qualquer Estado-parte na presente convenção poderá pedir uma assistência internacional em favor de bens do patrimônio cultural ou natural de valor universal excepcional situados em seu território. Deverá juntar ao pedido os elementos de informação e os documentos previstos no artigo 21 de que dispuser e de que o comitê tenha necessidade para tomar sua decisão.

ARTIGO 20

Ressalvadas as disposições do parágrafo 2º do artigo 13, da alínea "c" do artigo 22, e do artigo 23, a assistência internacional somente poderá ser concedida a bens do patrimônio cultural ou natural que o Comitê do Patrimônio Mundial haja decidido ou decida fazer constar numa das listas mencionadas nos parágrafos 2º e 4º do artigo 11.

ARTIGO 21

1º – O Comitê do Patrimônio Mundial determinará a forma de exame dos pedidos de assistência internacional solicitados e indicará notadamente os elementos que deverão constar do pedido, o qual deverá descrever a operação projetada, os trabalhos necessários, uma estimativa de seu custo, sua urgência e as razões pelas quais os recursos do Estado solicitante não lhe permitam fazer face à totalidade da despesa. Os pedidos deverão, sempre que possível, apoiar-se em parecer de especialistas.

2º – Em razão dos trabalhos que se tenha de empreender sem demora, os pedidos com base em calamidades naturais ou catástrofes naturais deverão ser examinados com urgência e prioridade pelo comitê, que deverá dispor de um fundo de reserva para tais eventualidades.

3º – Antes de tomar uma decisão, o comitê procederá aos estudos e consultas que julgar necessários.

ARTIGO 22

A assistência prestada pelo Comitê do Patrimônio Mundial poderá tomar as seguintes formas:

a) estudos sobre os problemas artísticos, científicos e técnicos levantados pela proteção, conservação, revalorização e reabilitação do patrimônio cultural e natural, tal como definido nos parágrafos 2º e 4º do artigo 11 da presente convenção;

b) serviços de peritos, de técnicos e de mão de obra qualificada para velar pela boa execução do projeto aprovado;

c) formação de especialistas de todos os níveis em matéria de identificação, proteção, conservação, revalorização e reabilitação do patrimônio cultural e natural;

d) fornecimento do equipamento que o Estado interessado não possua ou não esteja em condições de adquirir;

e) empréstimos a juros reduzidos, sem juros ou reembolsáveis a longo prazo;

f) concessão, em casos excepcionais e especialmente motivados, de subvenções não reembolsáveis.

ARTIGO 23

O Comitê do Patrimônio Mundial poderá igualmente fornecer uma assistência internacional a centros nacionais ou regionais de formação de especialistas de todos os níveis em matéria de identificação, proteção, conservação, revalorização e reabilitação do patrimônio cultural ou natural.

ARTIGO 24

Uma assistência internacional de grande vulto somente poderá ser concedida após um estudo científico, econômico e técnico pormenorizado. Esse estudo deverá recorrer às mais avançadas técnicas de proteção, conservação, revalorização e reabilitação do patrimônio cultural ou natural e corresponder aos objetivos da presente convenção. O estudo deverá também procurar os meios de utilizar racionalmente os recursos disponíveis no Estado interessado.

ARTIGO 25

O financiamento dos trabalhos necessários não deverá, em princípio, incumbir à comunidade internacional senão parcialmente. A participação do Estado que se beneficiar da assistência internacional deverá constituir-se uma parte substancial dos recursos destinados a cada programa ou projeto, salvo se seus recursos não o permitirem.

ARTIGO 26

O Comitê do Patrimônio Mundial e o Estado beneficiário determinarão no acordo que concluírem as condições em que será executado um programa ou projeto para o qual for fornecida a assistência internacional nos termos da presente convenção. Incumbirá ao Estado que receber essa assistência internacional continuar a proteger, conservar e revalorizar os bens assim salvaguardados, em conformidade com as condições estabelecidas no acordo.

VI – Programas educativos

ARTIGO 27

1º – Os Estados-partes na presente convenção procurarão, por todos os meios apropriados, especialmente por programas de educação e de informação, fortalecer a apreciação e o respeito de seus povos pelo patrimônio cultural e natural definido nos artigos 1º e 2º da convenção.

2º – Obrigar-se-ão a informar amplamente o público das ameaças que pesem sobre esse patrimônio e sobre as atividades empreendidas em aplicação da presente convenção.

ARTIGO 28

Os Estados-partes na presente convenção que receberem assistência internacional em aplicação da Convenção tomarão as medidas necessárias para tornar conhecidos a importância dos bens que tenham sido objeto dessa assistência e o papel que esta houver desempenhado.

VII – Relatórios

ARTIGO 29

1º – Os Estados-partes na presente convenção indicarão nos relatórios que apresentarem à Conferência Geral da Organização das Nações Unidas para a Educação, a Ciência e a Cultura, nas datas e na forma que esta determinar, as disposições legislativas e regulamentares e as outras medidas que tiverem adotado para a aplicação da convenção, bem como a experiência que tiverem adquirido nesse campo.

2º – Esses relatórios serão levados ao conhecimento do Comitê do Patrimônio Mundial.

3º – O comitê apresentará um relatório de suas atividades em cada uma das sessões ordinárias da Conferência Geral da Organização das Nações Unidas para a Educação, a Ciência e a Cultura.

VIII – Cláusulas finais

ARTIGO 30

A presente convenção foi redigida em inglês, árabe, espanhol, francês e russo, sendo os cinco textos igualmente autênticos.

ARTIGO 31

1º – A presente convenção será submetida à ratificação ou à aceitação dos Estados-membros da Organização das Nações Unidas para a Educação, a Ciência e a Cultura, na forma prevista por suas constituições.

2º – Os instrumentos de ratificação ou aceitação serão depositados junto ao diretor-geral da Organização das Nações Unidas para a Educação, a Ciência e a Cultura.

ARTIGO 32

1º – A presente convenção ficará aberta à assinatura de todos os Estados não membros da Organização das Nações Unidas para a Educação, a Ciência e a Cultura que forem convidados a aderir a ela pela Conferência Geral da Organização.

2º – A adesão será feita pelo depósito de um instrumento de adesão ao diretor-geral da Organização das Nações Unidas para a Educação, a Ciência e a Cultura.

ARTIGO 33

A presente convenção entrará em vigor três meses após a data do depósito do vigésimo instrumento de ratificação, aceitação ou adesão, mas somente com relação aos Estados que houverem depositado seus respectivos instrumentos de ratificação, aceitação ou adesão nessa data ou anteriormente. Para os demais Estados, entrará em vigor três meses após o depósito do respectivo instrumento de ratificação, aceitação ou adesão.

ARTIGO 34

Aos Estados-partes na presente convenção que tenham um sistema constitucional federativo ou não unitário aplicar-se-ão as seguintes disposições:

a) no que diz respeito às disposições desta convenção cuja execução seja objeto da ação legislativa do Poder Legislativo federal ou central, as obrigações do governo federal ou central serão as mesmas que as dos Estados-partes que não sejam Estados federativos;

b) no que diz respeito às disposições da presente convenção cuja execução seja objeto da ação legislativa de cada um dos Estados, países, províncias ou cantões constituintes que não sejam, em virtude do sistema constitucional da federação, obrigados a tomar medidas legislativas, o governo federal levará, com seu parecer favorável, as mencionadas disposições ao conhecimento das autoridades competentes dos Estados, países, províncias ou cantões.

ARTIGO 35

1º – Cada Estado-parte na presente convenção terá a faculdade de denunciá-la.

2º – A denúncia será notificada por instrumento escrito depositado ao diretor-geral da Organização das Nações Unidas para a Educação, a Ciência e a Cultura.

3º – A denúncia terá efeito 12 (doze) meses após o recebimento do instrumento de denúncia. Não modificará em nada as obrigações financeiras a serem assumidas pelo Estado denunciante até a data em que a retirada se tornar efetiva.

ARTIGO 36

O diretor-geral da Organização das Nações Unidas para a Educação, a Ciência e a Cultura informará os Estados membros da organização, os Estados não membros mencionados no artigo 32, bem como a organização das Nações Unidas, do depósito de todos os instrumentos de ratificação, aceitação ou adesão a que se referem os artigos 31 e 32, e das denúncias previstas no artigo 35.

ARTIGO 37

1º – A presente convenção poderá ser revista pela Conferência Geral da Organização das Nações Unidas para a Educação, a Ciência e a Cultura. No entanto, a revisão somente obrigará os Estados que se tornarem partes na convenção revista.

2º – Caso a Conferência Geral venha a adotar uma nova convenção que constitua uma revisão total ou parcial da presente convenção, e a menos que a nova convenção disponha de outra forma, a presente convenção deixará de estar aberta à ratificação, à aceitação ou à adesão a partir da entrada em vigor da nova convenção revista.

ARTIGO 38

Em conformidade com o artigo 102 da Carta das Nações Unidas, a presente convenção será registrada no Secretariado das Nações Unidas a pedido do diretor-geral da Organização das Nações Unidas para a Educação, a Ciência e a Cultura.

Feito em Paris, neste dia vinte e três de novembro de mil novecentos e setenta e dois, em dois exemplares autênticos assinados pelo presidente da Conferência Geral, reunida em sua décima sexta sessão, e pelo diretor-geral da Organização das Nações Unidas para a Educação, a Ciência e a Cultura, os quais serão depositados nos arquivos da Organização das Nações Unidas para a Educação, a Ciência e a Cultura, e cujas cópias autenticadas serão entregues a todos os Estados mencionados nos artigos 31 e 32, bem como à Organização das Nações Unidas.

RECOMENDAÇÃO SOBRE A PROTEÇÃO, EM ÂMBITO NACIONAL, DO PATRIMÔNIO CULTURAL E NATURAL, DE 1972[1]

(Medidas de caráter jurídico)

40. A causa do interesse que representa o patrimônio cultural e natural será protegido em seus elementos individuais ou em sua totalidade mediante disposições legislativas ou regulamentares, segundo as normas e os procedimentos jurídicos de cada país.

41. As medidas de proteção se ampliarão, se necessário, com novas disposições destinadas a intensificar a conservação do patrimônio cultural ou natural e a facilitar a revalorização de seus elementos constitutivos. Para tal, impor-se-á a observância das medidas de proteção aos proprietários privados e às coletividades públicas que sejam proprietárias de elementos do patrimônio cultural ou natural.

42. Um edifício situado no interior ou nas proximidades de um bem protegido não poderá ser objeto de nenhuma nova construção, de nenhuma demolição, corte de árvores, transformação nem modificação que possa alterar seu aspecto, sem autorização dos serviços especializados.

43. Os textos legislativos relativos à implantação de indústrias ou a obras públicas e privadas levarão em conta a legislação existente em matéria de conservação. As autoridades responsáveis pela proteção do patrimônio cultural e natural poderão intervir para acelerar a execução dos trabalhos de conservação necessários, ajudando o proprietário, por meio de intervenções financeiras, ou substituindo-o e executando as obras por iniciativa própria sem prejuízo de pedir o reembolso a parte a quem corresponda.

44. Quando a conservação do patrimônio exija, as autoridades competentes terão o direito de expropriar um edifício ou um lugar protegido nas condições estabelecidas pela legislação interna.

---

1. Tradução nossa.

45. Os Estados-membros regulamentarão a fixação de cartazes, a publicidade, luminosa ou não, os rótulos comerciais, o *camping*, a colocação de suportes, de cabos elétricos ou telefônicos, a instalação de antenas de televisão, a circulação e estacionamento de toda classe de veículos, a colocação de placas indicadoras, a instalação de mobiliário urbano etc. e, em geral, de qualquer equipamento e de qualquer ocupação do patrimônio cultural ou natural.

46. Os efeitos das medidas de proteção dos elementos do patrimônio cultural e natural seguirão esses elementos sejam quais forem os seus sucessores. O vendedor de um edifício ou de um lugar natural protegido informará o comprador da existência da proteção.

47. Em conformidade com as disposições legais e constitucionais de cada Estado, impor-se-ão penas ou sanções administrativas a todo aquele que intencionalmente destrua, mutile ou deteriore um monumento, um conjunto, um lugar protegido ou dotado de interesse arqueológico, histórico ou artístico. Essas medidas poderão ser acompanhadas da apreensão de todo o material que se utilize para escavações ilícitas.

48. Impor-se-ão penas ou sanções administrativas aos autores de qualquer outra infração das normas de proteção ou de revalorização de um bem protegido do patrimônio cultural ou natural; impor-se-ão também sanções para que se devolvam as coisas ao seu estado primitivo segundo normas científicas e técnicas.

BIBLIOGRAFIA

I. Obras

ALTEMIR, Antonio Blanc. *El Patrimonio Común de la Humanidad – Hacia un Régimen Jurídico Internacional para Sugestión*. Barcelona: Bosch, Casa Editorial, 1992.

BAREA, Calixto A. Armas. *Patrimonio Común de la Humanidad: Naturaleza Jurídica, Contenido Normativo y Prospectiva*. Madri: Instituto Hispano-Luso-Americano de Derecho Internacional (IHLADI). Apresentado no XVI Congresso na cidade de Mérida, Venezuela, entre 18 e 23 mar. 1991.

BREED, Henry. *International Organizations and Heritage Preservation: The Case of Venice*. Genebra: Institut Universitaire de Hautes Études Internationales, 1991.

CASTRO, Sônia Rabello de. *O Estado na Preservação de Bens Culturais: O Tombamento*. Rio de Janeiro: Renovar, 1991.

COMISSÃO Mundial sobre Meio Ambiente e Desenvolvimento. *Nosso Futuro Comum*. 2. ed. Rio de Janeiro: Fundação Getulio Vargas, 1991.

COSTA, Jr. Paulo José; MILARÉ, Édis. *Direito Penal Ambiental: Comentários à Lei no 9605/98*. Campinas: Millennium Editora, 2002.

CRETELLA Jr., José. *Comentários à Lei de Desapropriação (Constituição de 1988 e Leis Ordinárias)*. 3. ed. Rio de Janeiro: Forense, 1992.

CUÉLLAR, Javier Perez (org.). *Nossa Diversidade Criadora: Relatório da Comissão Mundial de Cultura e Desenvolvimento*. Trad. Alessandro Warly Candeas. Campinas: Unesco/Papirus, 1997.

FERREIRA, Ivete Senise. *A Tutela Penal do Patrimônio Cultural*. São Paulo: Revista dos Tribunais, 1995.

FREITAS, Vladimir Passos de; FREITAS, Gilberto Passos de. *Crimes contra a Natureza*. 6. ed. São Paulo: Revista dos Tribunais, 2000.

GRANZIERA, Maria Luiza Machado. *Direito Ambiental*. 2. ed. São Paulo: Atlas, 2011.

IMBIRIBA, Maria de Nazaré Oliveira. *Do Princípio do Patrimônio Comum da Humanidade*. São Paulo: Faculdade de Direito da Universidade de São Paulo, 1980 (tese de doutorado).

JOTE, Kifle. *International Legal Protection of Cultural Heritage*. Estocolmo: Juristförlaget, 1994.

LA ROSA, Oriol Casanovas y. *La Protección Internacional del Patrimonio Cultural*. Madri: Instituto Hispano-Luso-Americano de Derecho Internacional (IHLADI). Apresentado no XVI Congresso na cidade de Merida, Venezuela, entre 18 e 23 mar. 1991.

LE CORBUSIER. *A Carta de Atenas*. Trad. Rebeca Sherer. São Paulo: Hucitec/ Edusp, 1993 (Estudos Urbanos).

MACHADO, Paulo Affonso Leme. *Ação Civil Pública: Ambiente, Consumidor, Patrimônio Cultural e Tombamento*. 2. ed. São Paulo: Revista dos Tribunais, 1987.

_____. *Direito Ambiental Brasileiro*. 10. ed. São Paulo: Malheiros Editores, 2002.

MARCOFF, Marco G. *Traité de Droit International Public de l'Espace*. Fribourg: Éditions Universitaires Fribourg Suisse, 1973.

MEIRELLES, Hely Lopes. *Mandado de Segurança, Ação Popular, Ação Civil Pública, Mandado de Injunção, "Habeas Data"*. 15. ed. São Paulo: Malheiros Editores, 1994.

MELLO, Celso D. de Albuquerque. *Curso de Direito Internacional Público*. 9. ed. Rio de Janeiro: Renovar, 1992, v. I e II.

NORONHA, Magalhães E. *Direito Penal*. 18. ed. São Paulo: Saraiva, s.d., v. 2.

PIRES, Maria Coeli Simões. *Da Proteção ao Patrimônio Cultural: o Tombamento Como Principal Instituto*. Belo Horizonte: Del Rey, 1994.

PRESSOUYRE, Léon. *La Convention du Patrimoine Mondial, Vingt Ans Après*. Paris: Unesco, 1993.

REI, Fernando; CIBIM Juliana. *Direito Ambiental*. São Paulo: Saraiva, 2011 (Coleção 10+).

RODRIGUES, Gilberto Marco Antônio. *O que são relações internacionais*. São Paulo: Brasiliense, 2003 (Coleção Primeiros Passos).

ROUSSEAU, Charles. *Droit International Public*. Paris: Éditons Sirey, s.d.

SALCEDO, Carrillo J. A. *El Derecho Internacional en un Mundo en Cambio*. Madri: Tecnos, 1984.

SILVA, José Afonso da. *Direito Urbanístico Brasileiro*. São Paulo: Revista dos Tribunais, 1981.

_____. *Direito Urbanístico Brasileiro*. 2. ed. São Paulo: Malheiros Editores, 1997.

_____. *Ordenação Constitucional da Cultura*. São Paulo: Malheiros Editores, 2001.

SOARES, Guido Fernando Silva. *Direito Internacional do Meio Ambiente: Emergência, Obrigações e Responsabilidades*. São Paulo: Editora Atlas, 2001.

_____. *Curso de Direito Internacional Público*. São Paulo: Editora Atlas, 2002, v. I.

SOUZA FILHO, Carlos Frederico Marés de. *Bens Culturais e Sua Proteção Jurídica*. Curitiba: Juruá Editora, 2005.

SZAZI, Eduardo (org.). *Terceiro Setor: Temas Polêmicos*. São Paulo: Editora Peirópolis, 2005, v. 2.

TELLES, Antônio Augusto Queiroz. *Tombamento: seu Regime Jurídico*. São Paulo: Revista dos Tribunais, 1992.

UNESCO. *La Protection du Patrimoine Culturel de l'Humanité: Sites et Monuments*. Paris: Unesco, 1969.

VALDERRAMA, Fernando. *Historia de la Unesco*. Paris: Unesco, 1991.

VERDROSS, Alfred. *Derecho Internacional Público*. Trad. espanhola de Antonio Truyol y Serra. Madrid: Aguilar, 1967.

WEISS, Edith Brown. *Fairness to Future Generations: International Law, Common Patrimony, and Intergenerational Equity*. Tóquio/Nova York: The United Nations University/Dobbs Ferry Transnational Publishers, 1989.

WILLIAMS, Sharon A. *The International and National Protection of Movable Cultural Property: a Comparative Study*. Nova York: Oceana Publications, 1978.

II. Artigos publicados em periódicos e capítulos de obras

BECHARA, Érika. "Estética Urbana, Pichação e Grafite na Lei dos Crimes Ambientais". In: DANTAS, Marcelo Buzaglo; SEGUIN, Elida; AHMED, Flávio (orgs.). *O Direito Ambiental na Atualidade: estudo em homenagem a Guilherme José Purvin de Figueiredo*. Rio de Janeiro: Editora Jumen Juris, pp.135-148, 2009.

BOUCHENAKI, Mounir. "As Ruínas do Passado". *O Correio da Unesco* (edição brasileira). Rio de Janeiro: Fundação Getúlio Vargas, n. 10, ano 16, pp. 12-15, out. 1988.

CAVALCANTI, Flávio de Queiroz B. "Tombamento e Dever do Estado de Indenizar". *Revista dos Tribunais*, São Paulo, v. 709, pp. 34-41, nov. 1994.

CLARIANA, Gregorio Garzón. "Sobre la Noción de Cooperación en el Derecho Internacional". *Revista Española de Derecho Internacional*, Madri, v. 29 (1), pp. 51-69, 1976.

COSTA, Adroaldo Mesquita. "Parecer 662-H". *Revista de Direito Administrativo*, Rio de Janeiro, v. 93, pp. 379-381, jul.-set. 1968.

DAIFUKU, Hiroshi. "International Assistance for the Conservation of Cultural Property". In: ISAR, Yudhishthir Raj (ed.) *Why Preserve the Past? The Chalenge to our Cultural Heritage*. Paris: Unesco e Smithsonian Institution Press, pp. 58-61, 1986.

DALLARI, Adilson Abreu. "Tombamento". *Revista de Direito Público*, São Paulo, v. 86, pp. 37-41, abr.-jun. 1988.

_____. "Servidões Administrativas". *Revista de Direito Público*, São Paulo, v. 50-60, pp. 88-98, jul.-dez. 1981.

DUBOFF, Leonard D. "The Protection of Cultural Property in Time of Peace". *Annuaire de l' A.A.A.* (Association des Auditeurs et Anciens Auditeurs de l'Académie de Droit International de La Haye), Haia, v. 44, pp. 45-62, 1974.

DUPUY, René Jean. "La Zone, Patrimoine Commun de l'Humanité". In: VIGNES, Daniel; DUPUY, René Jean (orgs.). *Traité du Nouveau Droit de la Mer*, capítulo 11, pp. 499-505, 1985.

FERREIRA, Sérgio de Andréa. "O Tombamento e o Devido Processo Legal". *Revista de Direito Administrativo*, Rio de Janeiro, v. 208, pp. 1-34, abr.-jun. 1997.

FIGUEIREDO, Lucia Valle. "Direitos Difusos na Constituição de 1988". *Revista de Direito Público*, São Paulo, v. 88, pp. 103-107, out.-dez. 1988.

GALENSKAYA, Ludmila N. "International Cooperation in Cultural Affairs". *Recueil des Cours*. Académie de Droit International de La Haye, Haia, v. 198 (III), pp. 269-331, 1986.

GOY, Raymond. "Le Régime International de l'Importation, de L' exportation et du Transfert de Propriété des Biens Culturels". *Annuaire Français de Droit International*, Paris, v. XVI, pp. 605-624, 1970.

GRAHAM, Gael M. "Protection and Reversion of Cultural Property: Issues of Definition and Justification". *The International Lawyer*, Dallas, Winter, v. 2 (2), pp. 755-793, 1987.

HOHENVELDERN-SEIDL, Ignaz. "La Protection Internationale du Patrimoine Culturel National". *Revue Générale de Droit International Public*, Paris, v. 97 (2), pp. 395-409, 1993.

INAGAKI, Eizo. "Authenticity in the Context of Japanese Wooden Architecture". *The World Heritage Newsletter*, Paris: Unesco, n. 6, pp. 6-7, dez. 1994.

KISS, Alexandre Charles. "La Notion de Patrimoine Commun de l'Humanité". *Recueil des Cours*. Académie de Droit International de La Haye, Haia, v. 175 (II), pp. 98-256, 1982.

MACHADO, Paulo Affonso Leme. "Tombamento: Instrumento Jurídico de Proteção do Patrimônio Natural e Cultural". *Revista dos Tribunais*, São Paulo, v. 563, pp. 15-41, set. 1982.

MARÉS, Carlos Frederico. "A Proteção Jurídica dos Bens Culturais". *Cadernos de Direito Constitucional e Ciência Política*, São Paulo, n. 2, pp. 19-35, jan.--mar. 1993.

MARQUES, J. M. Azevedo. "A desapropriação no Estado de São Paulo". *Revista dos Tribunais*, São Paulo, v. 849, pp. 87-99, jul. 2006.

MARX, Murilo. "Uma Surpreendente Lacuna". *Revista Comemorativa da Carta de Veneza, 1964-1989*. Edição Única. Comitê Brasileiro do ICOMOS, pp. 36-37, 1990.

MEIRELLES, Hely Lopes. "Tombamento e Indenização". *Revista dos Tribunais*, São Paulo, v. 600, pp. 15-18, out. 1985.

MELLO, Celso Antônio Bandeira de. "Apontamentos sobre o Poder de Polícia". *Revista de Direito Público*, São Paulo, v. 9, pp. 55-68, jul.-set. 1969.

_____. "Tombamento e Dever de Indenizar". *Revista de Direito Público*, São Paulo, v. 81, pp. 65-73, jan.-mar. 1987.

MERRYMAN, John Henry. "Two Ways of Thinking About Cultural Property". *American Journal of International Law*, v. 80, pp. 831- 853, 1986.

MOHAMED, Chehata Adam. "Vitória na Núbia: Egito". *O Correio da Unesco* (edição brasileira). Rio de Janeiro: Fundação Getúlio Vargas, ns. 4-5, pp. 05-15, abr.-maio 1980.

NAHLIK, Stanislaw E. "La Protection Internationale des Biens Culturels en Cas de Conflit Armé". *Recueil des Cours*. Académie de Droit International de La Haye, Haia, v. 120 (I), pp. 61-163, 1967.

NONNENMACHER, G. G. "De la Protection Internationale du Patrimoine Culturel". *Annuaire de l'A.A.A.* (Association des Auditeurs et Anciens Auditeurs de l'Académie de Droit International de La Haye), Haia, v. 44, pp. 143-148, 1974.

OKERE, Obbinna. "International Regulation of the Return and Restitution of Cultural Property". *Revue Hellénique de Droit International*, Atenas, pp. 141-156, 1987-1988.

PROTT, Lyndel V. "Problems of Private International Law for the Protection of the Cultural Heritage". *Recueil des Cours*. Académie de Droit International de La Haye, Haia, v. 217 (V), pp. 224-244, 1989.

RANGEL, Vicente Marotta. "Objetos Culturais: O Recente Projeto Unidroit de Convenção Internacional". In: BAPTISTA, Luiz Olavo et al. (coords.) *Direito e Comércio Internacional: Tendências e Perspectivas – Estudos em Homenagem ao Professor Irineu Strenger*. São Paulo: LTR, pp. 213-220, 1994.

RINALDI, Ana Maria de Oliveira de Toledo; RAMOS, Elival da Silva. "Desapropriação de Imóvel – Tredestinação. Retrocessão. Direito de Preferência. Possibilidade de Prescrição. Doação a Município. Interesse Social" (Parecer). *Boletim Centro de Estudos: procuradoria geral do Estado de São Paulo*. v. 30, n. 01, pp. 21-34. jan.-fev. 2006.

REALE, Miguel. "Tombamento de Bens Culturais". *Revista de Direito Público*, São Paulo, v. 86, pp. 61-66, abr.-jun. 1988.

RODRIGUES, José Eduardo Ramos. "Tombamento e Patrimônio Cultural". In: BENJAMIN, Antônio Herman (coord.) *Dano Ambiental, Prevenção, Reparação e Repressão*. São Paulo: Revista dos Tribunais, v. 2, pp. 181-206, 1993,.

_____. "Patrimônio Cultural: Análise de Alguns Aspectos Polêmicos". *Revista de Direito Ambiental*, São Paulo, ano 6, v. 21, pp. 174-191, jan.-mar. 1997.

ROS, Patrick de. "Apontamentos Acerca das Normas de Tutela dos Bens Culturais no Direito Interno, Internacional e Comparado." *Revista de Direito Administrativo*, Rio de Janeiro, n. 234, pp. 195-229, out.-dez. 2003.

SABA, Hanna. "L'activité Quasi-législative des Institutions Spécialisées des Nations Unies". *Recueil des Cours*. Académie de Droit International de La Haye, Haia, v. 111 (I), pp. 607-690, 1964.

SANTOS, Marcia Walquiria Batista. "Proteção do Patrimônio Cultural no Direito Italiano". *Cadernos de Direito Constitucional e Ciência Política*, São Paulo, v. 4, pp. 158-165, jul.-set. 1993.

SOUZA, Antonio Fernando Barros e Silva. "Suspensão de Liminar – Desapropriação por Interesse Social" (Parecer do Ministério Público). *Ciência Jurídica: ad litteras et verba*, ano XX, n.131, pp. 321-326, set.-out. 2006.

TOMASEVICIUS FILHO, Eduardo. "O Tombamento no Direito Administrativo e Internacional". *Revista de Informação Legislativa*. Brasília, ano 41, n.163, pp. 231-247, jul.-set. 2004.

VARGAS, Uribe Diego. "La Troisième Génération des Droits de l'Homme". *Recueil des Cours*. Académie de Droit International de La Haye, Haia, v. 184 (I), pp. 355-374, 1984.

VIRALLY, Michel. "La Valeur Juridique des Recommandations des Organisations Internationales". *Annuaire Français de Droit International*, Paris, v. II, pp. 66-96, 1956.

_____. "Les Actes Unilatéraux des Organisations Internationales". In: BEDJAOUI, Mohamed (org.). *Droit International Bilan et Perspectives*. Paris: Ed. Pedone, Unesco, v. 1, pp. 223-276, 1991.

ZARAGOZA, Frederico Mayor. "Um Patrimônio Mundial". *O Correio da Unesco* (edição brasileira), Rio de Janeiro: Fundação Getúlio Vargas, n. 10, ano 16, p. 4, out. 1988.

III. Documentação e publicações da Unesco

1 – Documentação pertinente aos trabalhos preparatórios da Convenção Relativa à Proteção do Patrimônio Mundial, Cultural e Natural (Fonte: Setor de Arquivos da Unesco, Paris)

BRICHET, Robert. "Study on the Legal Provisions Required for Ensuring the Protection of the Monumental Heritage". In: *Meeting of Experts to Co-ordinate, with a View to Their International Adoption, Principles and Scientific, Technical and Legal Criteria Applicable to the Protection of Cultural Property, Monuments and Sites*. Documento SHC/CS/27/5, Paris, 26 jan. 1968. 23 p. "Advantages Offered to the International Community by States in Return for Aid Received from Unesco of from Other States, for the Protection of Their Heritage of Monuments, Landscapes and Sites". In: *Meeting of Experts to Co-ordinate, With a View to Their International Adoption, Principles and Scientific, Technical and Legal Criteria Applicable to the Protection of Cultural Property, Monuments and Sites.* Documento SHC/CS/27/6. Paris, 23 fev. 1968. 2 p.

"Conclusions of the Meeting of Experts". In: *Meeting of Experts to Co-ordinate, with a View to Their International Adoption, Principles and Scientific, Technical and Legal Criteria Applicable to the Protection of Cultural Property, Monuments and Sites.* Documento SHC/CS/27/7. Paris, 1 mar. 1968. 9 p.

Réunion D'experts pour Coordenner, en Vue de leur Adoption a l'Échelon International, les Principes et les Critères Scientifiques, Techniques et Juridiques Applicables dans le Domaine de la Protection des Biens Culturels, des Monuments et des Sites. Documento SHC/CS/27/8. Paris, 31 dez. 1968, 33 p.; e anexos I e II, 2 p. e 1 p., respectivamente.

BRICHET, Robert & MATTEUCCI, Mario. "Pratical Steps to Facilitate the Possible Establishment of an Appropriate International System". In: *Meeting of Experts for the Establishment of an International System for the Protection of Monuments and Sites of Universal Interest.* Documento SHC/CONF. 43/5. Paris, 13 jul. 1969, 16 p.

Conveniencia de Establecer un Instrumento Internacional sobre Protección de Monumentos y Lugares de Interés Universal. Documento. 16c/19. XVI Conferência-geral da Unesco. Paris, jul. 1970. 3 p.

D'OSSAT, G. de Angelis. "The Scientific Concepts on Which the Protection and Presentation of Monuments and Sites is Based". In: *Meeting of Experts to Co-ordinate, with a View to Their International Adoption, Principles and Scientific, Technical and Legal Criteria Applicable to the Protection of Cultural Property, Monuments and Sites.* Documento SHC/CS/27/3. Paris, 26 jan. 1968. 8 p.

Draft Convention for the Protection of the World Cultural and Natural Heritage. Documento 17c/99, item 22. XVII Conferência-geral da Unesco. Paris, 15 nov. 1972, 6p. (p. 31 e pp. 45-49).

Draft Convention for the Protection of the World Cultural and Natural Heritage. Documento 17c/106. XVII Conferência-geral da Unesco. Paris, 15 nov. 1972. 10p.

Estudio Preliminar de los Aspectos Jurídicos y Técnicos de una Posible Reglamentación Internacional sobre la Protection de los Monumentos y Lugares de Valor Universal. Documento 16c/19, anexo. XVI Conferência-geral da Unesco. Paris, jul. 1970. 12 p.

Étude Analytique des Observations Generales et des Commentaires Formulés par les États Membres Inpliquant des Propositions Tendant a Modifier l'Avant-projet de Recommandation et l'Avant-projet de Convention (Document SHC/MD/17). Documento SHC/MD/18, anexo II. Paris, 21 fev. 1972. 15 p.

International Instruments for the Protection of Monuments, Groups of Buildings and Sites. Documento SHC/MD/17. Paris, 30 jun. 1971. 28p.; e anexos I e II, 10p. e 9p., respectivamente.

International Protection of Monuments, Groups of Buildings and Sites of Universal Value and Interest: Background and Purposes. Documento SHC/CONF. 43/6. Paris, 15 jul. 1969. 6 p.

Projet Révisé de Convention Concernant la Protection des Monuments, des Ensembles et des Sites de Valeur Universelle. Documento SHC/MD/18, anexo IV. Paris, 21 fev. 1972. 9 p.

Projet Révisé de Recommandation Concernant la Protection, sur le Plan National, des Monuments, des Ensembles et des Sites. Documento SHC/MD/18, anexo III. Paris, 21 fev. 1972. 10 p.

Proyecto de Convención para la Protección del Patrimonio Mundial, Cultural y Natural y Proyecto de Recomendación sobre la Protección, en el Ámbito Nacional, del Patrimonio Cultural y Natural. Documento 17c/18. XVII Conferência-geral. Paris, 15 jun. 1972. 2 p.; e anexo, 30p.

Réglementation Internationale pour la Protection des Monuments, des Ensembles et des Sites. Documento SHC/MD/18, anexo I. Paris, 21 fev. 1972. 19p.

Réglementation Internationale pour la Protection des Monuments, des Ensembles et des Sites. Documento SHC/MD/18, Add. 1. Paris, 10 mar. 1972. 9p.

Réglementation Internationale pour la Protection des Monuments, des Ensembles et des Sites. Documento SHC/MD/18, Add. 2. Paris, 31 mar. 1972. 7p.

Réglementation Internationale pour la Protection des Monuments, des Ensembles et des Sites. Documento SHC/MD/18, Add. 3. Paris, 4 abr. 1972. 3p.

Réglementation Internationale pour la Protection des Monuments, des Ensembles et des Sites. Documento SHC/MD/18, Add. 4. Paris, 11 abr. 1972. 6p.

"Resoluciones". In: *Actas de la Conferencia General.* 14ª Reunión. Paris, 1966. Edição espanhola, 1967, 3 p.

"Resoluciones". In: *Actas de la Conferencia General.* v. 1. 16ª Reunión, 12 de octubre-14 de noviembre. Paris, 1970. Edição espanhola, Paris, 1971, 3 p.

Réunion D'experts en Vue de l'Etablissement d'un Regime International pour la Protection des Monuments, des Ensembles et des Sites D'intérêt Universel. Rapport final. Documento SHC/MD/4. Paris, 10 out. 1969. 40 p.

SORLIN, François & LEMAIRE, Raymond. "The Appropriate System for the International Protection of Monuments, Groups of Buildings and Sites of Universal Value and Interest: Basic Premises of the Question". In: *Meeting of Experts for the Establishment of an International System for the Protection of Monuments and Sites of Universal Interest.* Documento SHC/CONF.43/4. Paris, 30 jun. 1969. 10 p.

"Volumen 1: Resoluciones Recomendaciones". In: *Actas de la Conferencia General*, 17ª Reunión, 17 de octubre-21 de noviembre de 1972. Edição espanhola, Paris, 1973, 3p.

ZACHWATOWICZ, J. "Scientific and Technical Rules for Protection operations. In: *Meeting of Experts to Co-ordinate, with a View to Their International Adoption, Principles and Scientific, Technical and Legal Criteria Applicable to the Protection of Cultural Property, Monuments and Sites.* Documento SHC/CS/27/4. Paris, 31 jan. 1968. 9 p.

2 – *Documentação relativa às reuniões do Comitê do Patrimônio Mundial: registros das atas das reuniões realizadas entre junho de 1977 e agosto de 2010 (Fonte: Centro do Patrimônio Mundial, Unesco, Paris)*

Comité du Patrimoine Mondial, Troisième Session (Cairo e Luxor, Egito, 22 a 26 out. 1979). Documento CC-79/Conf. 003/13. Relatório do relator. Paris, 30 nov. 1979, 21 p.; anexos, 9 p.

Comité du Patrimoine Mondial, Quatrième Session (Paris, França, 1 a 5 set. 1980). Documento CC-80/Conf. 016/10 Rev., Relatório do relator. Paris, 29 set. 1980, 19 p.; anexos, 10 p.

Comité du Patrimoine Mondial, Première Session Extraordinaire (Paris, França, 10 a 11 set. 1981). Documento CC-81/Conf. 008/2 Rev., Relatório do relator. Paris, 30 set. 1981, 5 p.; anexos, 11 p.

Comité du Patrimoine Mondial, Cinquième Session (Sidney, Austrália, 26 a 30 out. 1981). Documento. CC-81/Conf. 003/6. Relatório do relator. Paris, 15 jan. 1982. 15 p.; anexos, 12 p.

Comité du Patrimoine Mondial, Sexième Session (Paris, França, 13 a 17 dez. 1982). Documento CLT-82/CH/Conf. 015/8, Relatório do relator. Paris, 17 jan. 1983, 17 p.; anexos, 16 p.

Comité du Patrimoine Mondial, Setième Session (Florença, Itália, 5 a 9 dez. 1983). Documento SC/83/Conf. 009/8. Relatório do relator. Paris, jan. 1984, 16 p.; anexos, 12 p.

Comité du Patrimoine Mondial, Hutième Session (Buenos Aires, Argentina, 29 out. a 2 nov. 1984). Documento. SC/84/Conf. 004/9. Relatório do relator. Buenos Aires, 2 nov. 1984. 29 p.; anexo, 8 p.

Comité du Patrimoine Mondial, Neuvième Session (Paris, França, 2 a 6 dez. 1985). Documento. SC/85/Conf. 008/09. Relatório do relator. dez. 1985. 20 p.; anexos, 10 p.

Comité du Patrimoine Mondial, Dixième Session (Paris, França, 24 a 28 nov. 1986). Documento CC-86/Conf. 003/10. Relatório do relator. Paris, 5 dez. 1986. 19 p.; anexos, 13 p.

Comité du Patrimoine Mondial, Seizième Session (Santa Fé, Estados Unidos, 7 a 14 dez. 1992). Documento WHC-92/Conf. 002/12, Relatório. Paris, 14 dez. 1992, 61 p.; anexo I, 16 p.; anexo II, 14 p.; anexo III, 2 p.; anexo IV, 1 p., anexo V, 1 p.; anexo VI, 1 p.

Comité du Patrimoine Mondial, Dix-Septième Session (Cartagena, Colômbia, 6 a 11 dez. 1993). Documento WHC-93/Conf. 002/14. Paris, 4 fev. 1994, 60p.; anexo I, 17p.; anexo II, 2p.; anexo III, 4p.; anexo IV,10p.; anexo V, 1 p., anexo VI, 7 p.; anexo VII, 4 p.; anexo VIII, 2 p.

Comité Intergouvernemental de la Protection du Patrimoine Mondial, Culturel et Naturel, Première Session (Paris, França, 27 jun. a 1 jul. 1977). Documento CC-77/Conf. 001/9. Relatório final. Paris, 30 set. 1977, 11 p.; anexo, 5 p.

Intergovernmental Committee for the Protection of the World Cultural and Natural Heritage, Second Session (Washington, Estados Unidos, 5 a 8 set. 1978). Documento CC-78/Conf. 010/10 Rev. Relatório final. Paris, 9 out. 1978, 13 p.; anexos, 9 p.

Rapport du Comité du Patrimoine Mondial, Onzième Session (Paris, França, 7 a 11 dez. 1987). Documento SC-87/Conf. 005/9, Paris, 20 jan. 1988. 20 p.; anexos, 10 p.

Rapport du Comité du Patrimoine Mondial, Douzième Session (Brasília, Brasil, 5 a 9 dez. 1988). Documento SC-88/Conf. 001/13, Paris, 23 dez. 1988. 27 p.; anexo, 13 p.

Rapport du Comité du Patrimoine Mondial, Treizième Session (Paris, França, 11 a 15 dez. 1989). Documento SC-89/Conf. 004/12. Paris, 22 dez. 1989. 21 p.; anexos, 11 p.

Report of the World Heritage Committee, Fourteenth Session (Banff, Alberta, Canadá, 7 a 12 dez. 1990). Documento CLT-90/Conf. 004/13. Paris, 12 dez. 1990. 23 p.; anexos, 13 p.

Report of the World Heritage Committee. Twenty-eigthth session (Suzhou, China, 28 jun. a 07 jul. 2004). Documento WHC-04/28.COM/26. Paris, 24 out. 2004.

Report of the World Heritage Committee. Thiry fourfh session (Brasília, Brasil, 25 jul. a 03 ago. 2010). Documento WHC-10/34.COM/20. Paris, 03 set. 2010.

World Heritage Committee, Fifteenth Session (Cartago, Tunísia, 9 a 13 dez. 1991). Documento SC-91/Conf. 002/15. 12 dez. 1991. 31 p.; anexo, 15 p.

3 – Documentos diversos (Fonte: Centro do Patrimônio Mundial, Unesco, Paris)

Bureau du Comité du Patrimoine Mondial, Dix-Hutième Session (Paris, França, 4 a 9 jul. 1994), Relatório do relator. Documento WHC-94/Conf. 001/10. Paris, 19 ago. 1994, 61 p.; anexo I, 15 p.; anexo II, 9 p., adendo 1, 17 p., 8 p.

Informe del Comité Intergubernamental de Protección del Patrimonio Mundial Cultural y Natural sobre sus actividades (1992-1993). Documento 27c/101. Paris, 2 set. 1993. 11 p.

Monitoreo del Estado de Conservación de los Sitios Culturales y Naturales del Patrimonio Mundial - 1991/1994. Sítios de Patrimonio Mundial en América Latina, el Caribe y Países de Expressión Lusófona en Africa – Informe de Avance 1993 y Perspectivas. Documento Unesco, WHC-93/Conf. 002/5, dez. 1993, 295 p.

Neuvième Assemble Generale des États Parties a la Convention Concernant la Protection du Patrimoine Mondial, Culturel et Naturel (Paris, França, 29 a 30 out. 1993). Relatório dos trabalhos. Documento WHC-93/Conf. 003/6. Paris, 2 dez. 1993. 37 p.

Pareceres do Icomos sobre os Pedidos de Inscrição das Cidades Brasileiras. Unesco, Centro do Patrimônio Mundial, Paris.

4 – Publicações da Unesco

Fuentes Unesco (publicação do Centro do Patrimônio Mundial, Unesco, Paris, com a colaboração do Centro Unesco da Catalunha, Espanha). n. 39, ago., 1992; n. 43, dez., 1992; e n. 56, mar., 1994.

O Correio da Unesco (edição brasileira, publicação da Fundação Getulio Vargas, Rio de Janeiro):

- A Unesco aos Trinta Anos, n. 5, maio 1976, ano 4.
- A Unesco e o Mundo: Horizonte 1982, n. 5, maio 1977, ano 5.
- A Acrópole em Perigo, n. 12, dez. 1977, ano 5.
- Tesouros Culturais: Pelo Fim de um Desterro, n. 9, set. 1978, ano 6.
- Borobudur: A Recuperação de um Patrimônio Humano, n. 4, abr. 1983, ano 11.
- Unesco 1945: Nascimento de um Ideal, n. 12, dez. 1985, ano 13.

The World Heritage Newsletter (publicação do Centro do Patrimônio Mundial, Unesco, Paris): ns. 1 a 7, fev. 1993 a mar. 1995.

World Heritage Review (publicação da Ediciones San Marcos/Unesco) números 24 a 30, fev. 2002 a abr. 2003.

IV. Documentação do Instituto do Patrimônio Histórico e Artístico Nacional (Fonte: Arquivo Central do Iphan, Rio de Janeiro)

Dossiê para Instruir a Inscrição do Patrimônio Cultural da Cidade de Brasília (DF) na Lista do Patrimônio Mundial.

Dossiê para Instruir a Inscrição do Patrimônio Cultural da Cidade de Congonhas (MG) na Lista do Patrimônio Mundial.

Dossiê para Instruir a Inscrição do Patrimônio Cultural da Cidade de Olinda (PE) na Lista do Patrimônio Mundial.

Dossiê para Instruir a Inscrição do Patrimônio Cultural da Cidade de Ouro Preto (MG) na Lista do Patrimônio Mundial.

Dossiê para Instruir a Inscrição do Patrimônio Cultural da Cidade de Salvador (BA) na Lista do Patrimônio Mundial.

V. Repertório de constituições, convenções, recomendações e normas de procedimento da Conferência Geral da Unesco

Convenção das Nações Unidas sobre Direito do Mar (1982). Faculdade de Direito da Universidade de São Paulo. Fotocópias.

Convenciones y Recomendaciones de la Unesco sobre la Protección del Patrimonio Cultural. Lima: Unesco e PNUD, 1986.

European Treaty Series, n. 66.

Les Textes Normatifs de l'Unesco (IV - C.1). Paris: Unesco, 1980, pp. 3-6.

MELLO, Rubens Ferreira de. *Textos de Direito Internacional e da História Diplomática de 1815 a 1949*. Rio de Janeiro: Ed. A. Coelho Branco Filho, 1950, v. I e II.

Normas Fundamentais das Convenções de Genebra e de Seus Protocolos Adicionais. Genebra, Comitê Internacional da Cruz Vermelha, 1983.

RANGEL, Vicente Marotta. *Direito e Relações Internacionais*. 6. ed. São Paulo: Revista dos Tribunais, 2002.

Textos Fundamentales – Manual de la Conferencia General y el Consejo Ejecutivo. Paris: Unesco, 1994 (com as modificações aprovadas pela Conferência--geral da Unesco até a sua 27ª reunião).

VI. Publicações diversas

Botetim da União Pan-Americana. Edição brasileira, v. XXXVII, n.7, jul. 1935.

FAU-USP. *Revista Arquitetura*, São Paulo, n. 27, set. 1964.

ICCROM. *Newsletter*, Roma, n. 20, jun. 1994.

MINISTÉRIO da Cultura e Instituto do Patrimônio Histórico e Artístico Nacional. *Bens Móveis e Imóveis Inscritos nos Livros do Tombo do Instituto do Patrimônio Histórico e Artístico Nacional*. 4. ed. Rio de Janeiro: Ministério da Cultura e Instituto do Patrimônio Histórico e Artístico Nacional, 1994.

VII. Endereços Eletrônicos

Declaração de Nara (1994). Disponível em: http:/www.international.icomos. org. Acesso em: 30 nov. 2011.

Estatuto do ICCROM (revisado em 2005). Disponível em: http://www.iccrom. org/eng/00about_en/00_01govern_en/statutes_en.shtml. Acesso em: 24 nov. 2011.

Estatuto do ICOMOS. Disponível em: http://www.international.icomos.org/statuts_eng.htm. Acesso em: 24 nov. 2011.

ICOMOS. Disponível em: http://www.international.icomos.org/hist_eng.htm. Acesso em: 24 nov. 2011.

Orientações Técnicas para a Aplicação da Convenção do Patrimônio Mundial (versão 2008, em língua portuguesa da Operational Guidelines for the Implementation of the World Heritage Convention). Disponível em: http://whc.unesco.org/en/guidelines. Acesso em: 24 nov. 2011.

Report of the World Heritage Committee, Twenty-fourth session (Cairns, Austrália, 27 nov. a 2 dez. 2000). Documento WHC-2000/CONF. 204/21. Paris, 16 fev. 2001. Disponível em: http://whc.unesco.org/archive/repcom00.htm. Acesso em: 11 jun. 2003.

Report of the World Heritage Bureau, Twenty-sixth session. Documento 26BUR – WHC-02/CONF.201/15. Paris, 27 maio 2002. Disponível em: http://whc.unesco.org/archive/repbur02.htm. Acesso em: 11 jun. 2003.

Report of the World Heritage Committee, Twenty-fifth session (Helsinki, Finlândia, 11 a 16 dez. 2001). Documento WHC-01/CONF.208/24. Paris, 8 fev. 2002. Disponível em: http://whc.unesco.org/archive/repcom01.htm. Acesso em: 11 jun. 2003.

Unesco. Disponível em: http://www.unesco.org. Acesso em: 24 nov. 2011.

Unesco World Heritage Centre. Disponível em: http://whc.unesco.org/en. Acesso em: 24 nov. 2011.

World Heritage Center. Disponível em: http://whc.unesco.org/nwhc/pages/home/pages/homepage.htm. Acesso em: 24 nov. 2011.

World Heritage List. Disponível em: http://whc.unesco.org/en/list. Acesso em: 02 dez. 2011.

World Heritage List in Danger. Disponível em: http://whc.unesco.org/en/danger. Acesso em: 02 dez. 2011.

O AUTOR

Fernando Fernandes da Silva, é advogado, consultor do Szazi Bechara Advogados Associados, mestre e doutor em Direito Internacional Público pela Universidade de São Paulo (USP). Foi professor de Direito Internacional do Meio Ambiente no curso de pós-graduação *lato sensu* da Faculdade de Saúde Pública da USP/Nisam. Atualmente, é professor de Direito Internacional Público e Privado da Faculdade de Direito de Sorocaba; também professor de Direito Internacional Público e Privado da Faculdade de Direito da Universidade Católica de Santos; do seu programa de mestrado em Direito Internacional e Ambiental e do seu programa de Doutorado em Direito Ambiental Internacional. Além disso, é coordenador da pós-graduação *stricto sensu* e pesquisa da UniSantos.

LEIA TAMBÉM

História Social dos Direitos Humanos
3ª edição revista e ampliada
José Damião de Lima Trindade
216 páginas
ISBN 978-85-7596-230-5

Desde a Declaração dos Direitos do Homem e do Cidadão, em 1789, o conceito de Direitos Humanos só ganhou respeitabilidade, a ponto de hoje desfrutar de quase unanimidade mundial. Mas em que contexto os Direitos Humanos vêm se desenvolvendo? Até que ponto deu seu salto para a prática? A que propósitos vem servindo o conceito desde então? O procurador do Estado Lima Trindade integra aspectos econômicos, políticos, filosóficos e religiosos, entre outros, para nos possibilitar a compreensão de como, e por quais motivos reais ou dissimulados, as diversas forças sociais interferiram em cada momento da história para impulsionar, retardar ou, de algum modo, modificar o desenvolvimento e a efetividade prática dos Direitos Humanos na sociedade.

Terceiro Setor – Regulação no Brasil
3ª edição revista e ampliada
Eduardo Szazi
Co-edição: Gife – Grupo de Institutos, Fundações e Empresas
384 páginas
ISBN 85-7596-001-6

Com linguagem direta e elucidativa, a obra apresenta um conjunto de leis que regula o Terceiro Setor no Brasil – bem como a evolução dessas leis – e traz conceitos e questões de interesse imediato para investidores sociais privados e profissionais da área. Leitura obrigatória para quem atua ou pretende atuar no setor. Consultor jurídico do Gife e integrante do Grupo de Reforma do Marco Legal do Terceiro Setor da Casa Civil da Presidência da República, Szazi é atualmente um dos maiores especialistas em Terceiro Setor do Brasil.

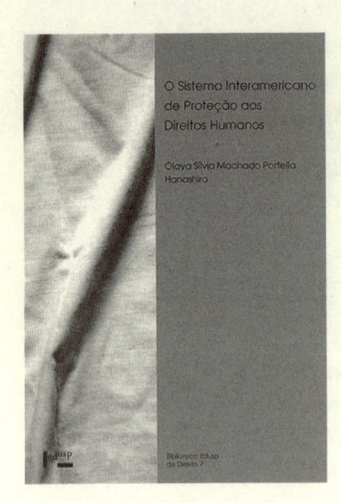

LEIA TAMBÉM

O Sistema Interamericano de Proteção aos Direitos Humanos
Olaya S. M. Portella Hanashiro
Biblioteca Edusp de Direito
178 páginas
ISBN 978-85-314-0596-9

O Sistema Interamericano de Proteção aos Direitos Humanos nasceu como resposta às atrocidades cometidas durante a Segunda Guerra Mundial. As bases desse sistema foram implementadas no campo de forças composto pelos Estados do continente, âmbito intensamente sujeito a ingerências políticas. Olaya Hanashiro focaliza, inicialmente, seu desenvolvimento histórico, para, então, tratar dos problemas estruturais, examinando também as alternativas para o fortalecimento da proteção dos direitos humanos na região. A autora mostra a contradição existente na pretensão de despolitizar um sistema cuja própria natureza é eminentemente política.

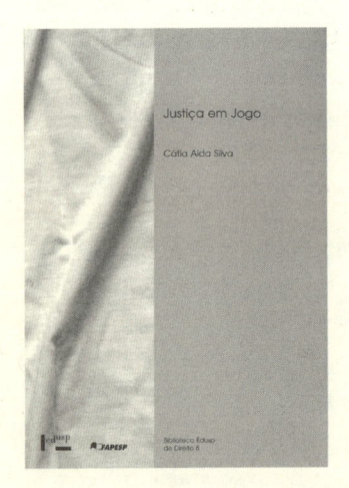

Justiça em Jogo: Novas Facetas da Atuação dos Promotores de Justiça
Cátia Aida Silva
Biblioteca Edusp de Direito
180 páginas
ISBN 978-85-314-0630-0

O perfil social e as formas de atuação dos promotores de justiça, assim como as ambiguidades que demonstram em relação ao papel do Ministério Público na sociedade brasileira atual, são estudados aqui a partir de entrevistas realizadas com promotores públicos da capital e do interior de São Paulo. A autora examina temas como a atuação do MP nos últimos anos, a criação do Estatuto da Criança e do Adolescente e a relação dos promotores com os movimentos organizados da sociedade, trazendo dados e análises relevantes para a discussão do controle da administração pública.

LEIA TAMBÉM

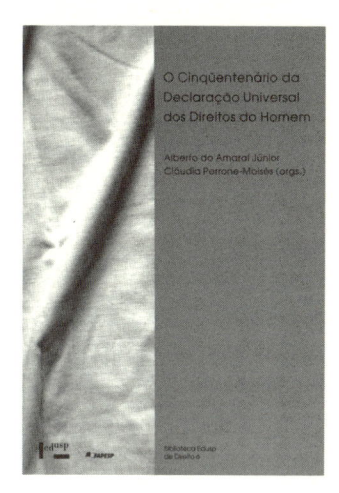

O Cinqüentenário da Declaração Universal dos Direitos do Homem
Alberto do Amaral Júnior e
Cláudia Perrone-Moisés (orgs.)
Biblioteca Edusp de Direito
465 páginas
ISBN 978-85-314-0527-3

Por ocasião do cinquentenário da Declaração Universal dos Direitos do Homem, juristas, cientistas políticos e diplomatas, entre eles, Celso Lafer, Fábio Konder Comparato, Antônio Augusto Cançado Trindade, Dalmo de Abreu Dallari e Rolf Kuntz, fizeram reflexões sobre a repercussão, as consequências e desdobramentos desse documento que foram aqui agrupadas em torno de três eixos temáticos. Os Direitos Humanos e os temas globais são analisados do ponto de vista dos refugiados, do meio ambiente, do desenvolvimento e comércio internacional. Em seguida, são enfocados os Direitos Humanos na ordem interna brasileira – os direitos dos povos indígenas, das crianças e dos adolescentes, da mulher, assim como o Plano Nacional de Direitos Humanos – e as relações entre ordem interna e internacional. Por último, discutem-se os paradoxos dos direitos humanos, detendo-se na relação entre liberdade e igualdade.

Todos os direitos desta edição reservados à

EDITORA PeirópoliS

Editora Peirópolis Ltda.
Rua Girassol, 128
Vila Madalena – 05433-000
São Paulo – SP – Brasil
Tel. (55 11) 3816-0699
Fax (55 11) 3816-6718
www.editorapeiropolis.com.br
vendas@editorapeiropolis.com.br

edusp

Editora da Universidade de São Paulo
Av. Corifeu de Azevedo Marques, 1975
Butantã – 05581-001
São Paulo – SP – Brasil
Tel. (55 11) 3091-4008
www.edusp.com.br
edusp@usp.br